Editorial - Inhaltsverzeichnis

Foto: B. Siegmund

Ute Fischer, Wissenschaftsjournalistin und Selbstbetroffene, kennt die Abgründe der chronischen Lyme-Borreliose, aber auch das Gefühl, sie immer und immer wieder zu überwinden.

Diese Zeitschrift sollte verhindert werden

Vordergründig waren es drei eigene Vorstandsmitglieder, also vermeintlich betroffene Borreliosepatienten. Sie traten einen Kriegszug an, um die mehr als 20 Jahre existierende Patientenorganisation zu killen. Das wichtigste Instrument dazu war diese Zeitschrift. Sie sollte abgeschafft werden, damit möglichst viele oder gar alle Mitglieder kündigen, wenn sie keinen Gegenwert für ihren Mitgliedsbeitrag erhalten. Das ist nicht gelungen. Sie sind nicht mehr im Vorstand. Die Mitgliederversammlung wählte am 28. März 2015 eine neue Mannschaft, überwiegend „Alte Hasen", siehe Seite 46. Sie krempelt gerade die Ärmel hoch und räumt die Brocken aus dem Weg. Hier ist auch wieder Ihre Zeitschrift, vielleicht vier Wochen später als sonst, aber nach wie vor mit Biss, respektlos gegenüber den Verharmlosern, neugierig und mutig wie seit 2005. Sie besitzt eine ISBN-Nummer; das heißt, dass man sie auch im Buchhandel kaufen kann.

Es geht weiter

Attacken auf den BFBD gab es immer wieder. 2012 der Film „Zecken-Krieg", entpuppte sich als Beispiel filmischer Manipulation mit ergebnisorientierter Recherche bei den Hochschul-Verharmlosern, die den Autor dafür auch noch mit einem Preis belohnten. Journalismus ist etwas anderes. Wie viel Geld mag da geflossen sein, mit dem man vermutlich Tausenden von Borreliosepatienten eine wirksame Therapie hätte geben können. Oder wenigstens Forschungsmittel, um endlich einen standardisierten Labortest zu entwickeln. Auch die jetzige Attacke beweist einmal mehr, dass der BFBD auf dem richtigen, wenn auch unbequemen Weg ist, die Stimme für Borreliosepatienten zu erheben. Die Meldepflichten in Rheinland-Pfalz, dem Saarland und in Bayern waren wichtige Meilenschritte, um Gesundheitspolitiker aufzuwecken. Und jetzt geht es weiter.

Alle von Borreliose Betroffenen, ihre Angehörigen und Unterstützer rufen wir auf, Mitglied bei uns zu werden. Noch (April 2015) ist zwar unsere Homepage in falschen Händen; sie wird neu eingerichtet. Wenn Sie Mitglied werden wollen, dann rufen Sie eine der beiden Telefonnummern an: 06162-911 986 oder 06078-917 5094. Wir schicken dann einen Mitgliedsantrag. Dann sind Sie mit im Boot. Das wäre gut für Viele, für uns alle.

Willy Burgdorfer ist tot

Foto: U. Fischer

Der Entdecker der Borrelien im Darm von Zecken starb 89jährig am 19. November 2014 in Hamilton, Montana

Der am 27.Juni 1925 in Basel geborene Arzt und Bakteriologe wurde bereits in seiner Doktorandenzeit mit Zecken konfrontiert. Wie er bei seinem Deutschlandbesuch anlässlich einer Tagung der Deutschen Borreliose-Gesellschaft zum Besten gab, habe ihm sein Professor ein Glas mit Zecken überreicht und ihn aufgefordert, „untersuch das mal!"

1951 erhielt Burgdorfer ein Stipendium des Rocky Mountain Laboratoriums in Hamilton, Montana. Obwohl er sich ursprünglich der Erforschung der Parkinson-Krankheit widmen wollte, ließen ihn die Zecken nicht mehr los. Einbezogen in die Untersuchungen über die rätselhaften Erkrankungen um den Ort Lyme im Bundesstaat Connecticut, entdeckte er 1981 auffallend lange Spirochäten im Darmsack der Schildzecken. Zu seinen Ehren wurden sie mit Borrelia burgdorferi benannt.

Burgdorfer starb an Parkinson. Er hinterlässt seine Frau Lois, die Söhne Bill und Carl und zwei Enkelkinder. Seine erste Frau starb nach mehr als 50 Jahren Ehe im Jahr 2005.

Ehrungen:

1985 erhielt Burgdorfer die **Schaudinn-Hoffmann-Plakette** von der Deutschen Dermatologischen Gesellschaft für hervorragende Ärzte und Wissenschaftler, die sich um die Erforschung, Behandlung und Bekämpfung von infektiösen Erkrankungen der Haut und Schleimhäute besonders verdient gemacht haben. 1988 erhielt er die **Robert Koch-Medaille in Gold**, die höchste Auszeichnung für Forschung auf dem Gebiet der Infektionskrankheiten. Es folgten 1989 der **Bristol Award** der Infektiologischen Gesellschaft Amerikas sowie 1990 die **Walter Reed-Medaille** von der Amerikanischen Gesellschaft für Tropenmedizin und Hygiene. Die Würde eines **Ehrendoktors der Medizin** verliehen ihm die Universitäten Bern, Schweiz und Aix-Marseille, Frankreich. 2008 ernannte ihn die Deutsche Borreliose-Gesellschaft in Anwesenheit zum **Ehren-Mitglied**.

All diese Ehrungen konnten ihn jedoch nicht umstimmen, seine Enttäuschung immer wieder in Worte zu fassen:

"Die Kontroverse in der Lyme-Krankheitsforschung ist eine beschämende Angelegenheit. Die ganze Sache ist politisch verdorben. Das Geld geht an Leute, die in den vergangenen 30 Jahren immer das Gleiche hervorgebracht haben, nämlich nichts."

Armin Schwarzbach mit eigenem Labor

Foto: Privat

Der langjährige Laborarzt Armin Schwarzbach aus dem Borreliose Centrum Augsburg, Referent in zahlreichen Borreliose-Selbsthilfegruppen und Autor von BORRELIOSE WISSEN hat sich mit einem Laborunternehmen in Augsburg selbständig gemacht. Er kooperiert mit den Gärtner Laboratories, Limbach SE group, zu dem 30 Laboratorien in Europa zählen. Schwerpunkt des neuen Labors bilden weiterhin Erreger, über die Schwarzbach seit Jahren international referiert: Lyme-Borreliose, Ehrlichia, Bartonella, Babesia. Rickettsia, Chlamydia pneumoniae, Chlamydia trachomatis, Mycoplasma, Yersinia, Toxoplasmose und Viren. www.arminlabs.com

Kreuzzug gegen unkritische Blut-Transfusionen

Von Ute Fischer

Es geschieht selten, aber in den letzten Jahren immer häufiger, dass sich Ärzte an die Medien wenden, um Missstände in der Gesundheitspolitik publik zu machen. Es stand in der Frankfurter Allgemeinen Sonntagszeitung. „Es kann nicht sein, dass wir Patienten über bestimmte Dinge nicht aufklären, obwohl sie unter Medizinern bekannt sind." Der dies der Reporterin Lucia Schmidt sagte, ist **Prof. Kai Zacharowski**, Direktor der Klinik für Anästhesiologie, Intensivmedizin und Schmerztherapie am Uniklinikum Frankfurt. In dem halbseitigen Bericht ging es um Blut-Transfusionen, die ohne Voruntersuchungen auf eine Anämie dem Patienten verabreicht werden und dem dann ein doppeltes Risiko bescheren.

Anämie tut nicht weh. Etwa 30 Prozent der Bevölkerung leidet vermutlich daran, ohne zu leiden. Symptome sind Müdigkeit, Leistungstief, Kopfschmerzen, Kurzatmigkeit, blasse Haut, Schwindel. Die häufigsten Ursachen seien die Mängel an Eisen, Folsäure und Vitamin B12. Problematisch wird die Situation jedoch erst, wenn sich derjenige einer Operation unterziehen muss. Ohne Anämie steht das Risiko, an einer Operation sterben zu müssen, bei unter einem Prozent, bei leichten Anämien steige es auf fast vier Prozent, bei schweren Anämien auf zehn für fünfzehn Prozent.

Kommt es dann zu Komplikationen, greift man schnell zur Gabe von Fremdblut. In dem lauern aber auch Gefahren, über die keiner spricht.

Aus internationalen Studien sei bekannt, dass Patienten mit Fremdblut-Versorgung später häufiger Infektionen wie Lungenentzündung oder Blutvergiftung erleiden, öfter einen Herzinfarkt oder Schlaganfall haben und sogar eine erhöhte Sterblichkeit zeigen als gleichkranke Patienten ohne Spendenblut-Versorgung. An eine Übertragung von Borrelien mag man gar nicht denken. Fremdes Blut sei immer eine Belastung für den Körper, so Prof. **Patrick Meybohm**, Leitender Oberarzt in der Klinik von Zacharowski. Wenn der Organismus durch eine Operation geschwächt sei und das Immunsystem damit fertig werden müsse, entwickeln sich durch fremdes Blut schneller Infektionen. Ein Teufelskreis, in dem sich Risiken, die ja minimiert werden sollen, potenzieren.

Wenn das bekannt ist, warum wird dann nicht vor jeder Operation eine Anämie-Diagnostik gemacht? Der Grund liegt mal wieder im Kostendruck der Kliniken. Sie wollen, sie müssen operieren. Wenn sie auf Grund einer Anämie-Diagnose den Patienten erst noch mal wieder nach Hause schicken, damit er durch Spritzen oder Tabletten die Anämie korrigiert, laufen sie Gefahr, dass der Patient dann in eine andere Klink geht, wo er schneller operiert wird. Und auch die einweisenden Ärzte scheuen diese Untersuchung als OP-Vorbereitung, weil sie sie nicht abrechnen können.

Die beiden Mediziner riefen vor zwei Jahren die Initiative „Patienten

Blood Management" ins Leben. Sie zielt darauf, dass Anämien vor Operationen aufgedeckt werden und damit der Bedarf an Blutkonserven reduziert werde. Doch der Widerstand seitens der Ärzteschaft sei groß. Acht von zehn Ärzten seien noch immer der Meinung, dass man einem Patienten mit einer Blutkonserve etwas Gutes beschere. Und auch im Studium werde solches noch gelehrt.

Derzeit werden jährlich etwa 4,3 Millionen Blutspenden in Deutschland verabreicht. Eine in Frankfurt durchgeführte weltweite Studie soll die wahre Einsparung von Blutkonserven zeigen. Ob dann auch das Bundesgesundheitsministerium einlenkt? Es hält derzeit für Folgegefahren nach Transfusionen **kein behördliches Eingreifen für nötig**. Bleibt mal wieder der Patient selbst in der Verantwortung, sich vor einem geplanten Eingriff über seine Blutqualität schlau zu machen. Anämie lässt sich mit Tabletten oder Spritzen korrigieren.

Als Anämie bezeichnet man einen verminderten Hämoglobin-Gehalt des Blutes (Hämoglobin = eisenhaltiger Blutfarbstoff) in den Roten Blutkörperchen und ein zu niedriger Anteil der Roten Blutkörperchen am Blutvolumen (Hämatokrit). Die Diagnostik einer Anämie dauert beim niedergelassenen Arzt zwei Tage und kostet „ein paar" Euro. Im eigenen Klinik-Labor käme das Ergebnis noch am gleichen Tag.

Chronic Fatigue heißt künftig SEID

Das chronische Erschöpfungssyndrom, auch Fatigue genannt, wird nun umbenannt, meldet das Deutsche Ärzteblatt am 14.02.2015. Jene Patienten werden beschrieben, dass sie keine erkennbare Krankheit hätten, deren Beschwerden sich auch weder durch einen Test oder Laborwert objektivieren ließen. Kommt einen irgendwie bekannt vor. Patienten würden im Zusammenhang mit einem grippalen Infekt über den Verlust der Lebenskräfte klagen, sie seien gehandicapt, ihren beruflichen, sozialen und persönlichen Aktivitäten nachzugehen.

Zitat: „Die Patienten fühlen sich wahrscheinlich nicht zu Unrecht missverstanden und diffamiert." Viele seien davon überzeugt, dass es sich um eine organische und keineswegs um eine psychosomatische Erkrankung handelt".

Wer über Fatigue-Symptome verfügt, die länger als sechs Monate anhalten, bekommt nun statt „chronic fatigue" oder „Neurasthenia" den Stempel „SEID" aufgedrückt, ausgeschrieben „systemic exertion intolerance disease", was sich mit „Erkrankung mit systemischer Anstrengungsintoleranz oder –schwäche" übersetzten lässt. Diese Empfehlung kommt vom US-Institute Of Medicine (IOM). Angeblich habe es Beweise zusammmen getragen, dass SEID eine Erkrankung mit einer physiologischen Grundlage sei **und nicht einfach nur ein psychologisches Problem**. Ellen Wright Clayton von der Vanderbilt Universität in Nashville ist überzeugt, dass SEID eine echte Krankheit sei und Patienten mit diesen Symptomen das Recht auf mehr Aufmerksamkeit hätten. UFi

Borrelien-Verwandtschaft

Wie viele andere Bakterien, entwickeln sich auf den verschiedenen Kontinenten

auch bei Borrelia burgdorferi (im weiteren Sinne/sensu lato) Borrelien-Verwandtschaft

unterschiedlicher Subspezies.

- USA: Borrelia burgdorferi sensu stricto (B.b.s.s.), Borrelia andersonii, Borrelia americanum, B. carolinensis, B. bissettii, B. myamotoi
- Europe: Borrelia afzelii, Borrelia garinii, B. spielmanii, B. valaisiana, B. lusitaniae, B. bavariensis
- Asia: Borrelia japonica, B. rutdi, B. tanukii, B. sinica, B. Yangtze

Quelle: www.arminlabs.com, (Stand 2015)

Zecken an Hasenpest beteiligt

Im Kosovo sind in den ersten fünf Wochen dieses Jahres mindestens 206 Menschen an einer Tularämie, auch Hasenpest genannt, erkrankt. Mitarbeiter des Robert Koch-Instituts halten es für möglich, dass nach Deutschland einreisende Migranten daran erkrankt sind. (Quelle: Epidemiologisches Bulletin 2015; 9:63-65). Das natürliche Reservoir sind kleine Säuger wie Kaninchen, Mäuse, Eichhörnchen und Ratten. Auch Fliegen und Zecken können das Bakterium

übertragen oder der direkte Kontakt mit den Tieren und der Fleischverzehr von Hasen und Kaninchen können zu einer Infektion führen. Tularämie beginnt häufig harmlos wie ein grippaler Infekt mit Kopf- und Gliederschmerzen. Komplikationen entstehen durch Fieberschübe, Lymphknotenschwellung, Geschwüre an der Eintrittsstelle der Keime. Es kann im Verlauf zu Lungenentzündung, Rachenentzündung und Bindehautentzündungen kommen.

Foto: Schmink

Ab 41,6 Grad sind sie mausetot
Neues von der Hyperthermie

Von Ute Fischer

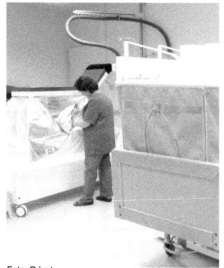

Foto: Privat

Bereits 2007 berichtete Borreliose Wissen über Versuche, Borrelien mit Hyperthermie den Garaus zu machen. Der Leitende Arzt der Aiblinger St. Georg-Klinik, **Dr. Friedrich Douwes**, berichtete schon damals über eher zufällige Befunde nach einer Wärmebehandlung von Krebspatienten, die außer einem Karzinom auch über Lyme-Borreliose klagten. Das war 1998. Zwei Amerikanerinnen mit Brustkrebs und langjährigem Leidensweg mit Borreliose hatten nach der Krebstherapie keine typischen Borreliose-Schmerzen mehr. Ein Zufallstreffer. Douwes: „Beim ersten Mal haben wir noch gar nicht darauf reagiert. Doch als das öfter vorkam, begannen wir zu recherchieren."

Damals wusste man noch nicht, dass sich Borrelien im Spätstadium in Zellen verstecken, wo sie vor einer antibiotischen Behandlung weitgehend geschützt sind. Sie sind aber thermolabil, das bedeutet, dass sie sich ab 39 Grad Celsius kaum noch bewegen können. Ab 40,6 Grad werfen sie laut einer schwedischen Studie die schützende Hülle eines Biofilms ab und ab 41,6 Grad, so Douwes, „…sind sie mausetot".

Das Problem sei noch immer die Diagnostik. **Labortests, egal ob negativ oder positiv hätten keine Bedeutung.** Entsprechender Leidensdruck rechtfertige auch bei negativer Serologie einen Therapieversuch mit Antibiotika. Allerdings besage das Ansprechen auf die Antibiotikagabe nicht, dass eine aktive Borreliose vorliege und umgekehrt belege ein Nichtansprechen nicht, dass die Krankheit ausgeheilt sei.

Douwes arbeitet mit dem Fragebogen von Burrascano. Der damit er-

> **Sarkoidose (Morbus Boeck)** ist eine entzündliche Erkrankung unbekannter Ursache. Typisch sind kleine knötchenförmige Gewebeveränderungen, häufig in der Lunge. Chronischer Reizhusten und Atemnot sind bekannte Symptome. Es kann aber auch jedes andere Körperteil (Multisystemerkrankung) befallen sein.

mittelte Score mache je nach Höhe eine Borreliose wahrscheinlich. Wenn dann die Serologie positiv und die CD56/57 niedrig sind, dann sei eine chronische Borreliose wahrscheinlich. Er verlasse sich auch auf den Vision Contrast Sensitivity-Test (VCS), bereits vor zehn Jahren von Prof. Fred Hartmann (†), Ansbach, empfohlen und von den Leitlinien-Autoren Hofmann und Rauer schärfstens verteufelt. Damit könne das Ausmaß der Funktionsstörung, Grautöne zu erkennen, als Defizit gemessen werden. Zusätzliche Hinweise auf eine Lyme-Borreliose gäben auch Parameter wie der Befund

von endokrinen Störungen, speziell junge Frauen seien östrogendominant, Männer impotent. Durch Störungen der Nebenniere sei die Produktion des körpereigenen Kortisons gehemmt. Besonders Neurotoxine erzeugen Störungen im Hypophysenbereich. **Hashimoto** wäre ebenfalls ein häufiger Befund.

Borrelien einheizen

Die Hyperthermie findet im Bett statt. Der Patient ist nackt. Über ihn ist ein Zelt mit Infrarot-A-Lichtern aufgebaut. Die ganze Behandlung erstreckt sich etwa über einen Tag. Es dauert ungefähr zwei Stunden, bis der Körper auf 41,6 Grad erwärmt ist. Diese Temperatur wird dann zwei Stunden gehalten; danach erfolgt die langsame Abkühlung, erneut über den Zeitraum von zwei Stunden. Die Patienten liegen dabei in einem Dämmerschlaf (Sedierung) und werden durchgehend intensivmedizinisch überwacht. Bei seltenen Komplikationen wird die Therapie abgebrochen. Im Schnitt verliert der Mensch sechs bis acht Liter Flüssigkeit, die durch Infusionen aufgefüllt werden. Am nächsten Tag, so berichten Patienten, dass sie angenehm müde seien, so wie nach einer überstandenen Grippe, sich aber auf dem Weg der Besserung fühlten. Gelegentlich träten auch Herxheimer-Reaktionen auf.

Hyperthermie habe nicht die negativen Wirkungen wie eine Antibiose. Im Gegenteil: Auch so erreiche man den Tod der intra- und auch extrazellulären Borrelien, **ohne die Darmflora zu zerstören.** Die Ganzkörperhyperthermie erhöhe zudem die Immunreaktion und helfe dem Körper, in der Schwitzphase enorme Mengen an Giften freizusetzen, die er über Schweiß, Leber, Niere und Haut entsorge. Die ganze Behandlung erstreckt sich über zwei Wochen, in der die Patienten auch entgiftend, ausleitend behandelt werden. In der Regel finden zwei Hyperthermiebehandlungen mit einer Woche Abstand statt.

me-Borreliose behandeln lasse.

Douwes berichtet auch von Patienten mit typischen Parkinson-Symptomen, von Patienten, die im Rollstuhl ankamen und nach zwei Wochen die Klinik zu Fuß verließen. Weil sehr viele Borreliose-Patienten über neurologische Beschwerden klagen, suchte Douwes wissenschaft-

Eine Wärmebehandlung kostet rund 2.000 Euro; die Gesetzlichen Krankenkassen übernehmen mindestens die Kosten für stationären Aufenthalt und die übrige Behandlung, einschließlich der Intensivbetreuung während der Hyperthermie. St. Georg ist eine zugelassene Kassenklinik und ihr Chef mit voller Absicht ein Kassenarzt. Gerade hat er eine weitere Infrarot-Einheit angeschafft, weil mit weiterem Zulauf von Patienten zu rechnen ist.

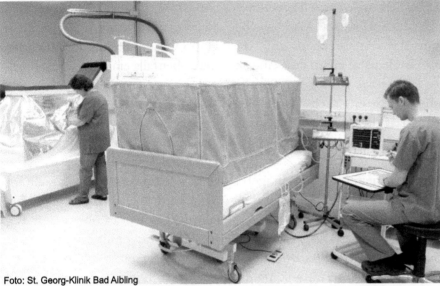

Foto: St. Georg-Klinik Bad Aibling

Eigentlich hätte Douwes in aller Stille so weiterbehandelt. Aber durch zwei australische Patientinnen wurde das australische Fernsehen aufmerksam und drehte vor Ort einen Film über deren Behandlung. Danach wurde es etwas hektischer in der Klinik. Immer mehr Borreliosepatienten stehen vor der Türe. Inzwischen zeigt die Erfahrung, dass sich damit auch Sarkoidose, eine häufige Zweit(Fehl)diagnose der Ly-

liche Begleitung seiner Behandlungsreihen durch Prof. Karl Bechter, Bezirkskrankenhaus Günzburg, Beirat in der Ärzteorganisation Deutsche Borreliose Gesellschaft. Bechter untersucht den neurologischen psychosomatischen Bereich; denn Borrelien und ihre Abfallprodukte können zu Veränderungen der Persönlichkeit führen, die nicht selten als eigene Erkrankung, fern der Lyme-Borreliose, diagnostiziert werden.

Douwes hat nach eigenem Bekunden rund 300 Borreliose-Patienten mit Wärme behandelt; 90 Prozent seien heute ohne Beschwerden. Der größte Vorteil sei, dass dies ein völlig untoxischer Weg sein, ohne die Nebenwirkungen einer antibiotischen Therapie. Vorläufer sei vor fast 100 Jahren der österreichische Arzt Julius Wagner-Jauregg gewesen, der Syphilis-Patienten mit Malaria infiziert habe, um künstliches Fieber zu erzeugen. Danach habe er nur noch die Malaria heilen müssen. Dafür wurde er 1927 mit dem Nobelpreis für Medizin ausgezeichnet. www.klinik-st-georg.de

Literatur: Fiebertherapie zuhause, Borreliose-Jahrbuch 2015, ISBN 978-3-7357-7753-9.

Fieber und Fasten

Kranke Lebewesen tun instinktiv das Richtige: sie fasten. Man sollte fiebernde Kinder nicht zum Essen drängen, wenn sie nur nach kühlen Säften verlangen. Fasten im Fieber oder bei anderen Krankheiten ist eine große Selbsthilfe der Natur. Es stellt für sonst gesunde Menschen hochwirksame Heilungshilfen dar:

-      Sie haben eine starke Zerstörungskraft für eingedrungene Bakterien.

-      Sie hemmen die Ausbreitung und das Wachstum von Viren.

-      Sie erhöhen die Abwehrkraft des Blutes und der Zellen.

-      Sie steigern die Ausscheidung von Gift- und Krankheitsstoffen.

Quelle: Dr. Hellmut Lützner, Entwickler der Heilfasten-Behandlung nach Otto Buchinger, Mitbegründer der Deutschen Fastenakademie.

Mit Borreliose zum Tierarzt?

Foto: U. Fischer

In einer Arbeit zur Erlangung des Dr.med.vet. (Tierarzt), schrieb die damals angehende Tierärztin Christina Morgenstern bei Borreliose von einer Therapieempfehlung von 10 mg Doxycyclin pro Kilogramm Gewicht, und das zwei Mal am Tag. Ein 10 kg schweres Tier erhielte dann also die gleiche Dosierung, die man einem erwachsenen Menschen zuteilt, egal ob er 60 Kilo wiegt oder 120. Zudem solle das Tier vier Wochen lang behandelt werden. Anmerkung der Redaktion: der Mensch nur zwei Wochen. Die Arbeit stammt aus dem Jahr 2008. Gutachter war Dr. Klaus Peter Hunfeld; er ist auch Mitglied der S3-Leitlinien-Kommission zur Diagnostik und Behandlung der Lyme-Borreliose. In einer von ihm erbetenen Stellungnahme wies er darauf hin, dass er kein Tierarzt und das Thema Borreliose kein wesentlicher Bestandteil der Arbeit gewesen sei.

Hinzuzufügen ist, dass sich in Kanada etliche Patienten auf den Namen ihres Hundes vom Tierarzt behandeln lassen. Quelle: Helke Ferrie, Caledon, Ontario, Kanada. Solches war auch vor zehn Jahren aus Deutschland zu hören.

Manuka-Honig – Wunderwaffe gegen Bakterien?

Manuka-Honig verhindert laut einer Studie der Universität of Wales, Cardiff, die Vermehrung der antibiotikaresistenten MRSA (Krankenhauskeime)-Bakterien. Zudem fanden Forscher der Universität Sydney in einer einzigartigen Studie Hinweise dafür, dass Honigsorten wie Manuka (Neuseeland) und Jelly Bush (Australien) bei oberflächlichen Wunden und Infektionen effektiver wirken als Antibiotika.

Den beiden getesteten Honigsorten sei gemein, dass sie von Bienen produziert werden, die sich vom Blütennektar des wilden Manuka-Strauchs, Pflanzen der Gattung Leptospemum (Teebaum), ernähren. Quelle: Institut Ranke-Heinemann, Australisch-Neuseeländischer Hochschulverbund, Berlin.

Was Manuka-Honig von anderen Honigsorten unterscheidet, sei sein außergewöhnlich hoher Gehalt an Methylglyoxal (MGO), ein Wirkstoff mit großem antibakterielles Potenzial, entdeckte das Team um Prof. Thomas Henle, Technische Universität Dresden. Zum Vergleich: Normaler, auch schon antibakteriell wirkender Honig enthält 20 Milligramm MGO pro 100 Gramm. In Manuka-Honigen seien schon Konzentrationen bis zu 800 Milligramm nachgewiesen worden. Er wird in verschiedenen MGO-Konzentrationen angeboten. Ein Mitglied des BFBD berichtet von schon sensationellen Erfolgen bei lange nicht zuheilenden Wunden und bei Lippenherpes. Es glaube, eine positive Wirkung bei seiner Borreliose bemerkt zu haben.

Mehr Informationen gibt es in dem Buch: Manuka-Honig, Detlef Mix, ISBN 978-3-9449-2 105-1, 19,95 €. Den Honig gibt es in Reformhäusern und im Internet-Versand. 500 Gramm der Konzentration MG 250 kosten um 45 €.

Emotionale Labilität

„Weil die Mediziner es zunehmend Pharmafirmen und CROs* überlassen, die von ihnen gewonnenen Studiendaten zu verwalten und auszuwerten, werden Nebenwirkungen immer wieder unterschlagen oder umetikettiert. So gab es zum Beispiel beim Test eines Medikaments gegen Depressionen Suizidversuche, die als „emotionale Labilität" getarnt wurden." Quelle: Deutsches Ärzteblatt, 2010. *Contract Research Organizationen sind Unternehmen, die Medikamentenstudien in Ländern durchführen, wo die Arbeit billig und die Kontrollen lax sind. Quelle: FAS 01.02.2015.

Der Darm - Schlüssel zur Gesundheit

Von Ute Fischer

Bei der Suche nach kompetenten Autoren, die für Sie über den Darm und die Folgen einer antibiotischen Therapie würden schreiben können und wollen, wurde offensichtlich, dass das nicht so einfach sein würde. Selten waren so umfangreiche Recherchen erforderlich, um über ein Organ schreiben zu können, über das man nicht so gerne spricht.

Erstaunlich: Alle mir empfohlenen Gastroenterologen sagten ab; nicht sofort, sondern meist erst Wochen und Monate nach dem ersten Kontakt. Da fragt man sich schon, warum? Jemand der ziemlich schnell mit dem Thema zu Potte kam, ist bekanntermaßen Giulia Enders, die junge Bestseller-Autorin, die derzeit Medizin studiert. Gleich in ihrem Vorwort berichtete sie über offene, nässende Wunden an ihren Beinen, die ursprünglich als Neurodermitis fehlgedeutet wurden. Sie stieß auf einen Bericht, in dem ein Mann über ebensolche Wunden nach der Einnahme von Antibiotika berichtet hatte und erinnerte sich, dass auch sie vor dem Erscheinen der Wunden Antibiotika nehmen musste. Das sei einer der Gründe gewesen, warum sie sich während ihres Studiums besonders für den Darm interessierte.

Optisch nachvollziehbar ist ihre fast kindliche und trotzdem kompetente Beschreibung der drei Schläuche, aus denen der Mensch besteht. „Der erste Schlauch durchzieht uns und verknotet sich in der Mitte", das sei unser Blutgefäßsystem, aus dem unser Herz als zentraler Gefäßknoten entsteht. „Der zweite Schlauch bildet sich fast parallel auf unserem Rücken, formt eine Blase, die an das oberste Ende des Körpers wandert und dort bleibt." Das sei unser Nervensystem im Rückenmark, aus dem sich das Gehirn entwickelt und aus dem Nerven überall in den Körper sprießen. Der dritte Schlauch, das Darmrohr, durchziehe uns von oben bis unten. Es richte unsere Innenwelt ein, bilde Knospen nach allen Seiten, aus denen sich Lunge, Leber, Gallenblase und Bauchspeicheldrüse entwickeln. Weiter oben formt dieses Gebilde Speiseröhre und Magen und am unteren Ende schließlich den Darm, der die Reste nach außen befördert, die auf dem Weg zwischen Mund und After übrig bleiben.

Darm mit Charme

Alles über ein unterschätztes Organ,

Giulia Enders

Verlag Ullstein

285 Seiten, 16,99 €

ISBN 978-3-550-08041-8.

Der witzige Spiegel-Bestseller nimmt kein Blatt vor den Mund und erklärt frech und naiv, was beim Kacken und Pupsen passiert, wie man den Darm durch gutes oder schlechtes Essen ärgern oder wohltuend animieren kann und mit welcher Raffinesse dieser „Schlauch" unser Wohlbefinden beeinflusst, aber auch dass er unsere Depression und Schmerzen erzeugen und beeinflussen kann.

Unser Mikrobiom – ein komplettes Ökosystem im Menschen

Es ist unsichtbar und wiegt etwa zwei Kilogramm. Wir fühlen es nicht. Aber ohne ihm hätten wir kein Gefühl. Ist es gesund, fühlen wir uns wohl. Wenn wir uns nicht wohl fühlen, mag dies an seinem Zustand liegen. Wir wissen das aber nicht. Noch nicht. Das Mikrobiom ist noch Neuland. Und das ist vermutlich der Grund, warum sich die Gastroenterologen nicht an das Thema trauen; die wissen zu wenig darüber und wollen das nicht preisgeben.

Hält es uns gesund? Macht es uns krank? Das Mikrobiom ist der Überbegriff aller in und auf dem Menschen siedelnden Mikroorganismen, die guten, die schlechten, auch die noch unbekannten. Über hundert Jahre lang dachte man, dass Mikroorganismen wie Bakterien gefährliche Krankheitserreger seien, vor denen wir uns schützen müssen. Die im 19. Jahrhundert entwickelten Antibiotika haben uns aber nicht gesünder gemacht, vor allem resistente Bakterienstämme führten und führen zu viel größeren Problemen, allen voran die multiresistenten

Krankenhauskeime, die nicht selten den Tod bringen, selbst wenn man nur für einen minimalen Eingriff angetreten war.

Ohne Bakterien ist der Mensch nichts

Das Humangenomprojekt war eine Sensation. Man spekulierte, dass sich weit über hunderttausend verschiedene menschliche Gene in Chromosomen würden finden lassen und dann waren es doch nur etwa 20.000, unwesentlich mehr als bei einer Maus. Die Erklärung: Unsere Komplexität verdanken wir nicht unseren eigenen Genen, sondern den Genen der in uns lebenden Bakterien. Sie enthalten etwa hundert Mal so viele Gene wie die auf unseren menschlichen Chromosomen. Spätestens da begriff die Wissenschaft, dass Bakterien **keine Störfaktoren** im Leben des Menschen, sondern sie als Team des Körpers zu betrachten sind. Es sind Billionen von Bakterien, die im menschlichen Körper und auf seiner Oberfläche siedeln; sie steuern Organfunktionen, Verdauung, Verhalten, unsere Stimmung und das Immunsystem. Sie sind an wichtigen Körperfunktionen beteiligt wie Stoffwechsel, Muskelaktivitäten, Hormonhaushalt, Gehirnfunktion und Nervensystem und vermutlich noch vielem mehr. Und dann kam Anne Katharina Zschocke

Die Medizinerin war nur kurz klinisch tätig, um sich als freie Fachdozentin und Buchautorin den Mikroorganismen zu widmen. Sicher eine Lebensaufgabe. Die tiefen Einblicke, die sie mit ihren Büchern in die Symbiosen und Strukturen des menschlichen Mikrobioms erlaubt, erschrecken und schrecken gleichsam auf, weil der Leser spürt, dass es hier nicht um Zufälligkeiten geht, sondern um seine persönliche Lebensgestaltung und das Wissen: Krankheit darfst Du nicht einfach nur beim Arzt abgeben. **Du selbst bist für Deine Gesundung verantwortlich.**

Doch zurück zum Mikrobiom. Bakterien sind lernfähig und finden sich bei ständigem Austausch zu optimalen Lebensgemeinschaften zusammen. Das erinnert an Patchwork-Familien, jedoch von einer höheren Intelligenz und dem Bestreben, sich trotz unterschiedlicher Ziele, Wünsche und Ansprüche ohne Hauen und Stechen, ohne Mord und Tot-

Foto: privat
Dr. Anne Katharina Zschocke

schlag miteinander arrangieren zu müssen.

Bakterien kommunizieren, sie tauschen sich aus, sie rotten sich zusammen, sie bilden Gruppen, sie trennen sich wieder, um eine neue Gruppe zu bilden. Prof. Eva Sapi, USA, berichtet 2012 in Saarbrücken mit beeindruckenden Bilder aus dem Rasterelektronenmikroskop, wie sich Borrelien organisieren, Kolonien bilden, selbst unter scheinbar abgeschlossenen Biofilm-Schirmen Signale senden und erwidern, sich offenbar alleine davon schleichen und doch mit armähnlichen Fäden um sich stochern, neue Haltegriffe finden, aufeinander zukriechen und neue Formationen bilden.

Glaubten wir 2012 als Laien noch, das sei eine Eigenheit der Borrelien, so wissen wir heute, dass diese famosen Eigenschaften allen Bakterien gemein sind. Selbst wenn wir Bakterien außerhalb unseres Körpers manipulieren, gelangen sie über Luft, Wasser und Nahrung wieder zurück in unseren Körper. Auch alles, was wir ihnen im Labor antun, kehrt zu uns selbst zurück. Auch in unseren Darm. Darmbakterien sind sehr anpassungs- und wandlungsfähig. Innerhalb von Bruchteilen einer Sekunde reagieren sie auf unterschiedliche Zusammensetzung der Nahrung. Ob Brot, Obst, Gemüse oder Kuchen und Speck – sie produzieren genau die Enzyme, die für die Verdauung nötig sind, sie spalten Lactose in Glucose und Galactose und stellen sich auf die „angelieferten Zutaten" ein. Wo dieses optimale Zusammenspiel gestört ist, kann es zu schweren Erkrankungen kommen, wie 2011 durch das EHEC-Bakterium, ein Beispiel, das vieles erklärt. Als Auslöser wurden Sprossen identifiziert, die auf einem niedersächsischen Bauernhof gezogen wurden. Die Saaten waren frei von EHEC, aber es gab erkrankte Menschen, die diese Sprossen gegessen hatten und teils schwer an blutigen Durchfällen erkrankten. Etliche starben sogar. Auf dem Hof selbst war nichts zu finden. Man vermutet, dass sich das giftige Gen erst im Darm bestimmter Menschen „anschaltete" und zwar auf Grund von deren Zusammensetzung der Darmflora. Denn schließlich erkrankten nicht alle Menschen, die diese Sprossen gegessen hatten.

Quorum

Bakterien regulieren ihre Bestandsdichte selbst. Sie verständigen sich über Botenstoffe, die sie wie Signale abgeben, aber auch von anderen Bakterien untereinander wahrnehmen. Wenige Signale bedingen auch wenige vorhandene Bakterien dieser Art. Umgekehrt lassen viele Botenstoffe auf eine hohe Menge gleicher Bakterien schließen. Der Begriff „Quorum" (aus dem Römischen für die geringste Zahl eines Gremiums, um einen Beschluss fassen zu können) wird hier benutzt. Nehmen Bakterien eine zu hohe Dichte ihrerseits wahr, stoppen sie ihre eigene Vermehrung, damit die Bakteriendichte konstant bleibt. Nimmt die Bakterienmenge ab, zum Beispiel auf Grund von Antibiotikagaben, merken das die Bakterien an der sinkenden Menge der Botenstoffe. Das Resultat: Sie verstärken ihre Vermehrung.

Furanon-Sprache

Diese Reaktionen finden nicht nur unter gleichartigen Bakterien statt, sondern auch artübergreifend. Wo immer Bakterien leben, bilden sie Gemeinschaften aus, sie reagieren interaktiv und reaktiv, sie tauschen Informationen aus und regeln untereinander, wie viele von welcher Art an welchem Ort leben und welche Aufgaben sie übernehmen. Sie koordinieren sich und verständigen sich auch mit Pflanzen. Eine Art Bakteriensprache ist die Substanzgruppe der Furanone. Man findet sie auch in Pflanzen wie Erdbeeren, Tomaten, auch in fermentierten Lebensmitteln wie Bier, Käse, Sojasoße und Wein. Egal ob Rohkost oder gründlich gekochte Nahrung, Furanone kommunizieren mit unseren Darmbakterien. Brisanterweise kommen Furanone auch in anderen Produkten unseres Lebens vor: Sie werden in Sprays zum Vergraulen von Hunden und Katzen verwendet. Es gibt, so Zschocke, sogar mit Furanonen imprägnierte Tischdecken, die Insekten vertreiben sollen. Auch diese Furanone kommunizieren mit Bakterien.

Früher, im Jahr 1900, dachte man, dass ein Baby völlig steril geboren sein müsste. Heute wissen wir, dass die Mutter schon in der Schwangerschaft durch alles, was sie isst, trinkt und berührt dem Kind Bakterien zuführt. Selbst beim Küssen werden Bakterien ausgetauscht, geschluckt und in den Darm aufgenommen und gelangen zum Baby; die Bak-

Der Darm - ein interessantes Organ.

Er ist beim erwachsenen Menschen etwa fünf Meter lang und erstreckt sich vom Magenpförtner bis zum After. Wegen der unzähligen feinen Darmzotten, die speziell im Bereich des Dünndarms mit fingerförmigen Erhebungen Stoffe wie Nahrungsbestandteile, Arzneien und Giftstoffe aus dem Verdauungsvorgang absaugen, erreicht er eine Oberfläche von sagenhaften 180 qm. Wenn man ihn glatt bügeln würde, kämen sieben Kilometer zusammen. Er produziert mehr als zwanzig eigene Hormone. Zwei Drittel des Darms bilden das Immunsystem aus.

Der Darm ist mit seinem Nervensystem das wohl größte sensorische Organ des Körpers. Seine Leitungen reichen bis ins Hirn. Eine Studie aus 2012 analysierte, dass die Einnahme bestimmter Bakterien Hirnregionen deutlich verändern können, unter anderem die Areale für Gefühls- und Schmerzverarbeitung. Betroffene mit Reizdarm-Syndrom leiden häufig auch unter Angstattacken oder Depressionen. Trotzdem werden Patienten mit Reizdarm-Syndrom noch als Simulanten oder Hypochonder behandelt, wenn sich im Darm keine sichtbaren Wunden oder Entzündungen finden lassen.

Stress und Darm reagieren häufig interaktiv. Emotionale Erschütterungen erreichen den Darm und zwingen ihn zum Erbrechen, sprich Durchfall. Verlustangst bei Sterbefällen, Trennungen zeigen sich nicht selten in Stuhlverweigerung über Tage. Stress verändert die Darmflora. Die Immunzellen schütten vermehrt Signale an das Hirn aus. Ungute Bakterien vermehren sich, gute Bakterien geraten ins Hintertreffen. Bei Wasserverseuchungen wird hauptsächlich von E.Coli-Bakterien geredet, als seien das die größten Feinde. Heute ist bekannt, dass die E-Colis weniger als ein Prozent des Darms ausmachen. Molekular-Untersuchungen finden hingegen viele Milliarden Bakterien in einem Darm, mehr als tausend verschiedene Spezies.

Dr. Anne Katharina Zschocke

Darmbakterien als Schlüssel zur Gesundheit

Neueste Erkenntnisse aus der Mikrobiom-Forschung

KNAUR

terien der Mutter, des Vaters, der Oma, der Tanten. Doch es begann schon viel früher: Unser Erbe stammt nicht nur aus den Genen, sondern auch aus Einzellern, die in unseren leiblichen Eltern und Großeltern lebten.

Schaden Bakterien dem Immunsystem?

Die meisten Borreliosepatienten reden davon, dass sie ihr Immunsystem stimulieren müssten, um die

Borrelien bekämpfen zu können. Sie schlucken dies und das. Was nun mit der Erkenntnis, dass das Immunsystem durch die Bakterien erst entsteht und sich nur mit Bakterien lebenslang weiterentwickelt? Was nun mit dem Wissen, dass Bakterien und Immuneigenschaften von Generation zu Generation weitergegeben werden? Das Immunsystem, so Zschocke, sei ein auf unglaublich komplexe Weise mit Mikroorganismen vernetztes Zellorgan des Dialogs, eine Netzwerkstruktur, ein Vermittlungs- oder Kommunikationssystem.

Die gute Botschaft: Seit bekannt ist, dass ein Mangel oder Ungleichgewicht an Bakterien immunologische Störungen und Krankheiten mit sich bringen, liegt die Lösung auf der Hand: Wir benötigen eine bewusste Pflege des Mikrobioms, der Unterstützung der Bakterien für verbesserte Kommunikation auf der Zellebene: zwischen Einzelzellen den Menschen und Einzellern, zwischen Körperorganen und Mikrobiom.

An dieser Stelle sei das faszinierende Buch der Anne Katharina Zschocke, aus dem hier reichlich zitiert wurde, zur Literatur empfohlen.

Darmbakterien als Schlüssel zur Gesundheit, Neueste Erkenntnisse aus der Mikrobiom-Forschung Gesund durch Bakterienvielfalt, mit fundierten Hinweisen, wie man den Darm wieder in ein gesundes Gleichgewicht bringt.

Dr. Anne Katharina Zschocke
Verlag Knaur Menssana,
367 Seiten, 19,90 €
ISBN 978-3-426-65753-9

Die Darm-Hirn-Verbindung.

„Gefühle wie Glück, Trauer und Hass spüren wir zuerst im Darm", beschreibt auch der Umweltmediziner Klaus-Dietrich Runow die Darm-Hirn-Verbindung in seinem Buch „Der Darm denkt mit". Entzündungen und Fehlbesiedlungen im Darm werden direkt an die Gliazellen im Gehirn weitergeleitet. Diese Gliazellen verwandeln sich selbst zu Entzündungszellen und geben Signale an andere Organe weiter. Im ungünstigsten Fall dauern solche Entzündungen bis zu zehn Monaten und erzeugen neurologische Reaktionen wie zum Beispiel Depressionen oder ein Burnout, die dann auch über diesen Zeitraum anhalten.

Runow empfiehlt zur Abklärung entzündlicher Prozesse im Körper folgende Blutwerte:

Der Darm denkt mit

Wie Bakterien, Pilze und Allergien das Nervensystem beeinflussen
Klaus-Dietrich Runow
Verlag Südwest
185 Seiten, 14,99 €
ISBN 978-3-517-08667-5

- C-reaktives protein (hs-CRP)
- Tumor-Nekrose-Faktor Alpha (TNF-Alpha)
- Allergietest (z.B. Gesamt-IgE)
- Vitamin D
- Interleukine (z.B. IL6)
- Homocystein
- Fettsäuren (Arachidonsäure /EPA/DHA)

Nicht alles, was wir essen, lassen wir hinten wieder herausfallen. Nicht nur niedermolekulare Botenstoff, sondern auch größere Proteine aus unverdauten Nahrungsbestandteilen können aus dem Darm ins Gehirn gelangen. Störungen im Verdauungstrakt, auch bakterielle Stoffwechsel- und Gärprodukte, können zu einer Aktivierung immunologischer Vorgänge führen. Sie können sich durch eine ganze Palette von Beschwerden äußern wie zum Beispiel Gelenkschmerzen, Kopfschmerzen, Müdigkeit, Schwindel, Missempfindungen, Erschöpfungssyndrom (Fatigue), wie sie von Borreliose-Patienten häufig beklagt werden.

Runow empfiehlt bei allen Patienten mit chronischen körperlichen und psychiatrischen Erkrankungen eine eingehende Stuhl- und Verdauungsanalyse, am besten eine **genetische Stuhlanalyse**, weil bei ihr transportbedingte Fehlbesiedlungen ausgeschlossen seien. Dabei seien nicht mehrere Stuhlproben, sondern nur eine einzige nötig. Damit ließen sich vor allem 90 Prozent aller Darmparasiten nachweisen.

Besonders aggressiv scheint die Zufuhr von Nahrungsmitteln mit Zusatzstoffen zu sein, vor allem Farbstoffe wie E 102, E 104, E 110, E 122, E 124,E 129. Runow berichtet von gravierende Verhaltensstörungen bei Kindern, die nach dem Genuss von farbigen Brausestäbchen förmlich ausrasteten. Auch Glutamat (E 620-625) beeinträchtige den Gehirnstoffwechsel und führe bei Tieren zu Augen- und Nervenschädigungen. Lebensmittel wie Kaffeeweißer oder Zahnpasta enthalten Titandioxid (E 171) oder Kaolin (E 559), die bei empfindlichen Menschen zu Darmentzündungen führen können. Diese Mikropartikel können in den Darmzellen eine wahre Entzündungskaskade anschalten. Dass der regelmäßige Verzehr von Fastfood zu schweren körperlichen und psychischen Störungen führen kann, zeigt ein US-Dokumentarfilm 2003. Der Testesser bemerkte nach 30 Tagen deutliche depressive Stimmungen an sich.

Lässt sich ein geschundener Darm wieder heilen?

Für den amerikanischen Autor Robert Gray war das keine Frage. Er entwickelte im Laufe seines jungen Lebens mehrere innovative Wege zur Gesundheitsvorsorge. In den USA gilt der Mathematiker und Physiker als Heilkundiger. Irritierend ist am Anfang seines „Darmheilungsbuches" jedoch, dass er grundsätzlich bei allen Menschen eine Verstopfung voraussetzt, auch wenn man täglich Stuhlgang hat. Er unterstellt, dass bei nahezu jedem Menschen die Innenhaut des Dick- und des Dünndarms mit gummiartigen Kotresten belagert sei, die auch beim normalen Stuhlgang, nicht einmal bei chronischem Durchfall ausgeschieden werden, weil sie an den Darmwänden kleben

und sich im Laufe des Lebens verhärten. Er beschreibt dies so plastisch, dass dem Leser der Hosenbund eng wird und die Bauchdecke spannt. Grays Empfehlung ist die Kolon-Sanierung, ein Programm,

das viel Disziplin verlangt. Regelmäßige Bürstenmassagen reinigen nach seiner Ansicht das Lymphsystem. Einläufe, unter anderem mit Kaffee, und Darmspülungen lösen angeblich die teils uralten Verkrustungen im Darm.

Eingesetzt werden dabei auch Arzneien, sogenannte Mukotriptische Kräuter, die auf das Lymphsystem wirken. Verboten sind unter anderem Milchprodukte, Weißmehlerzeugnisse und schleimbildende Nahrungsmittel. Auch Gray führte viele gesundheitliche Beschwerden auf eine schlecht funktionierende Verdauung zurück. Sein Darmreinigungsprogramm existiert bereits seit 30 Jahren. Wir hätten ihn gerne als Autor gewonnen. Gray starb jedoch 1990 44jährig an den Folgen eines Verkehrsunfalls. www.darmreinigung.info

Das Darmheilungsbuch
Robert Gray
Verlag Trias
145 Seiten, 14,99 €
ISBN 978-3-8304-3881-6

Alkohol spüren wir zwar zuerst im Kopf, aber der es am schnellsten abbekommt, ist der Darm. Nicht umsonst wird Alkohol als einer der wichtigen Verursacher von Darmkrebs bezeichnet.

Darmflora-Übertragung in Köln

Infektiologen der Klinik für Innere Medizin der Uniklinik Köln entwickelten eine weniger belastende Möglichkeit, gesunde Darmflora zu übertragen und damit eine Clostridium difficile-Infektion erfolgreich zu behandeln.

Bisher war dazu immer eine Darmspiegelung mit Legen einer Sonde in Kurznarkose nötig, was für Patien-

ten in einem schlechten Zustand ein gewisses Behandlungsrisiko darstellte.

Jetzt schlucken die Patienten eine Kapsel mit eingefrorenen Bakterien einer gesunden Darmflora. Sie wird dazu mit Kochsalzlösung verdünnt, die guten Bakterien herausgefiltert und im gefrorenen Zustand gelagert.

Durch die Hinzufügung von Glycerol (Zuckeralkohol, auch Glyzerin) wird erreicht, dass die Bakterien nicht absterben und innerhalb weniger Minuten vor der Kapseleinnahme aufgetaut sind.

Antibiotika und Probiotika

Fragen an Georg Wolz

Borreliose Wissen(BW): Was bewirken Antibiotika im Darm?

Foto: privat

Im Darm leben rund 100 Billionen Mikroorganismen – mehr als Körperzellen - mit uns in einer Symbiose zusammen, das heißt wir brauchen sie und sie brauchen uns. Diese Darmflora hilft, das Essen zu verdauen, sie produziert Vitamine und trainiert das Immunsystem. Der Darm ist das größte Immunorgan im Körper. So wie jeder Mensch seinen eigenen individuellen Fingerabdruck besitzt, so hat er auch eine ganz eigene individuelle Darmflora. Man bezeichnet sie mittlerweile lieber als „Mikrobiom", weil das Wort Darmflora zu sehr an das Pflanzenreich erinnert. Im Prinzip gibt es im Darm drei große Akteure:

1. die Darmschleimhaut, die mit Abwehrstoffen das gesamte Mikrobiom in Schach hält, damit es nicht in die Darmwand einwandert und zu Entzündungen führt

2. das gute Mikrobiom, das für unsere Gesundheit lebensnotwendig ist und die "bösen" Darmbakterien in Schach hält und

3. die "bösen" Bakterien, die mit den "guten" Bakterien um Lebensraum und Nahrung kämpfen. Alles in allem gesehen kämpft also im Darm jeder gegen jeden und dadurch stellt sich ein Gleichgewicht ein.

Wenn nun Antibiotika gegeben werden, bringen diese das sensible Gleichgewicht der Mikroorganismen im Darm durcheinander. Der Name Antibiotika bedeutet so viel wie "gegen das Leben " gerichtet, wobei hier die Bakterien und Pilze gemeint sind , die sich im mensch-lichen Körper vermehren und zu Entzündungen führen, wie zum Beispiel Halsentzündungen, Gallenblasenentzündungen oder auch die Borreliose. Das Problem ist, dass die Antibiotika auch die für uns wichtigen Mikroorganismen angreifen. Das auf den jeweiligen Körper abgestimmte Mikrobiom in der Darmschleimhaut wird durch das Antibiotikum geschädigt und teilweise zerstört. Sobald an der Darmschleimhaut jedoch "Platz" ist, werden andere Darmbewohner - und zwar oft die "Bösen" – sich an der Stelle der Darmwand ver-mehren. Der Körper will diese unangenehmen Gesellen los werden und reagiert unter Umständen mit Durchfall.

BW: Gibt es einen Unterschied zwischen oralen und intravenösen Antibiosen?

Was die Beeinträchtigung des Darms betrifft nicht, denn egal wie das Antibiotikum eingenommen wird, es verteilt sich im gesamten Körper, in allen Körperflüssigkeiten und auch Organen und muss eine bestimmte Konzentration erreichen, damit die Bakterien abgetötet werden. Nicht jede Sorte eines Antibiotikums kann die un-terschiedlichen Bakterien ab-töten. Es muss immer genau das Antibiotikum gewählt werden, welches den krankmachenden Keim zu-verlässig abtötet. Dadurch, dass sich das Antibiotikum gleichmäßig im Körper verteilt, kommt es auch mit dem Blut in die Darm-wand und Darmschleimhaut.

BW: Welche Schädigungen können im Darm auftreten und wie sind sie heilbar?

Die Folgen eines gestörten Gleichgewichtes des Mikrobioms und dem Eindringen von Stoffen in die Darmwand (leaky gut Syndrom) und Blutbahn sind weitreichend und werden von der Wissenschaft mit Hochdruck untersucht. Eine konkrete Folge, die viele sicher schon mal bei einer Antibiotika-Gabe erlebt haben, sind Ver-dauungsstörungen, vor allem Durchfall. Möglich ist auch ein erhöhtes Risiko für Infekte, allergische Reaktionen, Entzündungsreaktionen und sogar Stimmungsschwankungen bis hin zu **Depressionen**. Bis sich das Mikrobiom wieder regeneriert hat und in dem Zustand ist, wie vor der Antibiotikabehandlung, kann es Monate dauern. Nach der Beendigung der Antibiotika-Gabe und der weitgehenden Regeneration der Darmflora klingen die Nebenwirkungen in der Regel ab.

Stoff	Auswirkung auf			Übermäßiges Wachstum von resistenten Stämmen	Andere
	Enterobakterien z.B. E. coli	Enterokokken z.B. Laktobazillen	anaerobe Bakterien		
Amoxicillin	↓	↓	↓	+	↑ von Candida
Cefotaxim	↓	↓	-	-	
Ceftriaxon	↓↓	↓↓	↓	+	Senkung von Bifidus, ↑ von Candida; 30% des Arzneimittels wird in die Galle ausgeschieden
Ciprofloxacin	↓↓	↓↓	↓	-	↑ von Hefebesiedlung; keine Auswirkung auf Bifidus und Clostridien
Clindamycin	-	↑	↓↓	+	10% des Arzneimittels in die Galle ausgeschieden; Senkung der Produktion von SCFAs; Senkung von Bifidus und Laktobazillen
Doxycyclin	↓	↓	-	+	Keine Auswirkung auf die SCFA Produktion
Erythromycin	↓	↓	↓	+	keine signifikante Veränderung der Laktobazillen und Bifidobakterien; ↑ von Hefebesiedlung; Senkung der Produktion von SCFA
Metrodinazol	-	-	-	-	keine signifikante Veränderung der Laktobazillen, Hefebesiedlung, Bifidus, oder SCFA Produktion
Penicillin	-	-	-	-	keine signifikante Veränderung von Bifidus; höhere Dosen Senkung der Laktobazillen
Tetracyclin	-	-	-	+	↑ von Candida; Senkung von Bifidus und Laktobazillen
Tinidazol	-	-	-	-	keine signifikante Veränderung von Bifidus, Laktobazillen, oder SCFAs

Die Auswirkungen einiger ausgewählter Antibiotika auf die Mikroflora im Darm-Trakt

↓ : Unterdrückung der körpereinigen Darmflora; ↑ : Anstietg der entsprechenden Darmbakterien; - : Keine Änderung;   + : Anstieg; SCFA : kurzkettige Fettsäuren

Modifizierte Tabelle von Jason A. Hawrelak, Bnat (Hons), PhD Candidate and Stephan P. Myers, PhD, Bmed, ND // "Alternative Medicine Review" 2/2004

BW: Wie viel Antibiotika hält ein gesunder Darm aus.

Diese Frage lässt sich nur schwer grundsätzlich beantworten, da die Darmflora so individuell ist wie ein Fingerabdruck. Das heißt, jeder reagiert anders auf die Gabe eines Antibiotikums. Zudem hängt die Reaktion auch von der Art des jeweiligen Antibiotikums ab. Wer über einen längeren Zeitraum Antibiotika einnehmen muss, sollte auf jeden Fall eine ballaststoffreiche Ernährung zu sich nehmen, die auch einen hohen Anteil an fermentierten Lebensmitteln (Sauerkraut, Kefir und so weiter) beinhaltet. Dies kann mit Probiotika unterstützt werden. Wichtig sind auch Maßnahmen zur Unterstützung des Immunsystems. Eine ganz aktuelle Studie hat herausgefunden, dass die langfristige Einnahme von Antibiotika zu Übergewicht führen kann, vermutlich weil Antibiotika dazu führten, dass das Gleichgewicht zu Gunsten der „futterverwertenden" Bakterien verschoben wurde.

BW: Kann dadurch Krebs entstehen?

Die Entstehung von Krebs ist ein sehr komplizierter und noch lange nicht erschöpfend untersuchter Prozess. Wie eine ungesunde Ernährung oder andere Toxine auch, führen Antibiotika zur Veränderung des Gleichgewichts im Mikrobiom, das Ungleichgewicht wiederum kann Folgen wie Entzündungsprozesse oder eine Schwächung des Immunsystems nach sich ziehen. Die Forschung zu der Frage, ob durch diese Prozesse im weiteren Verlauf die Entstehung eines Krebs' begünstigt werden kann, steht noch ganz am Anfang. Diese grundsätzlichen Überlegungen sollten aber auf keinen Fall jemanden beeinflussen, die gerade im Fall von Borreliose dringend notwendige Antibiotikagabe

abzulehnen oder abzusetzen.

BW: Gibt es einen Unterschied für den Darm zwischen verschiedenen Wirkstoff-Klassen?

Welche Wirkstoff-Klassen nun welche konkreten Auswirkungen auf den Darm haben, kann man nicht genau sagen. Aber bestimmte Antibiotika-Arten beeinträchtigen die Darmflora mehr als andere. So schädigt Penicillin die Darmflora nicht so stark wie zum Beispiel Ampicillin, Amoxicillin-Clavulansäure, Cephalosporine und Clindamycin, welche häufig zu Durchfällen führen und auch zu der gefürchteten Überwucherung mit Clostridium difficile. Einen Hinweis gibt die Tabelle auf Seite 14. Eine Behandlung mit Antibiotika sollte hochdosiert und kurz erfolgen und speziell nur das zu bekämpfende Bakterium abtöten, um den Darm möglichst wenig in Mitleidenschaft zu ziehen. Breitspektrum Antibiotika sollten nach Möglichkeit vermieden werden.

BW: Wie kann man den Darm vor und während der Antibiose schützen?

Eine „Vorbereitung" des Darms auf eine geplante Antibiotika-Behandlung ist nicht möglich. Generell kann man allerdings sagen, dass jemand, der seine Darmflora mit ausgewogener Ernährung pflegt (zu der auch ein hoher Anteil an Ballaststoffen gehört), vermutlich eine bessere Widerstandsfähigkeit hat. Das heißt, dass eine gesunde Darmflora grundsätzlich besser gegen Antibiosen gewappnet ist. Wer seine Darmflora zusätzlich unterstützen möchte, kann dies zum Beispiel mit einem Zufüttern von guten Darmbakterien wie zum Beispiel mit Darmflora plus tun. In der Zeit während einer Antibiose ist ein Gegensteuern mit Probiotika zurzeit noch schwierig, da die

probiotischen Bakterien ebenfalls durch das Antibiotikum abgetötet werden. Wir arbeiten gerade an der Entwicklung eines Präparats, mit dem die Probiotika-Gabe auch in der akuten Phase der Antibiotika-Behandlung Sinn macht. Zurzeit empfehlen wir, die Milchsäurebakterien zeitversetzt, mit größtmöglichem Abstand zum Antibiotikum einzunehmen. Das heißt, wer morgens ein Antibiotikum nimmt, sollte abends die guten Darmbakterien einnehmen.

BW: Mit welchen Methoden lässt sich ein durch Antibiotika geschädigter Darm „reparieren"?

Bei den meisten Menschen regeneriert sich das Mikrobiom wieder; das dauert allerdings neuesten Untersuchungen zu Folge bis zu sechs Monaten. Hier ist es sinnvoll, den Darm aktiv zu unterstützen. Ich empfehle hier die Gabe von genau definierten Bakterien wie sie auch im Darm vorkommen und somit zu den "Guten" gehören, zum Beispiel Bifidus- und Lactobacillius-Stämme. Diese Bakterien müssen gegen die Säure im Magen geschützt sein , damit sie dort nicht abgetötet werden und sollten über eine gute Anhaftungsfähigkeit an der Darmwand verfügen. Diese Bakterienmischung sollte die Bifidusbakterien und Lactobacillen in hoher Konzentration enthalten.

Außerdem sollte "Futter" für die guten Bakterien bereitgestellt werden, damit sie sich besser gegen die "Bösen " wehren und wieder vermehren können, um das Gleichgewicht des Mikrobioms wieder herzustellen. Dieses Futter liefert Inulin beziehungsweise Oligofructose, sogenannte präbiotisch wirkende Inhaltstoffe aus Pflanzen wie Chicorée, Artischocken, Lauch, Knoblauch, Zwiebeln, Weizen, Roggen und Bananen. Präbiotika sind Stoffe, die der

Körper im Dünndarm nicht verwerten kann. Erst im Dickdarm , wo sich 90 Prozent des Mikrobioms befindet, fördert es das Wachstum der guten Bakterien. Die Stoffwechsel-Produkte der durch die Bakterien abgebauten Präbiotika und auch der Ballaststoffe

schützen den Darm und die Darmschleimhaut nutzt sie zur Energiegewinnung. Wenn die genannten Lebensmittel aus welchen Gründen auch immer nicht verzehrt werden können, so kann man Oligofructose auch mit Hilfe eines Nahrungsergänzungsmittels aufnehmen.

Dr. med. Georg Wolz ist Facharzt für Allgemein- und Ernährungsmedizin, Dipl. Ing. für Biotechnologie und Hersteller von Probiotika und Präbiotika. www.wolz.de. Das Interview führte Ute Fischer. Siehe auch Erfahrungsbericht über die Burrascano-Therapie Seite 24.

Die Wichtigkeit des Darms für unser Immunsystem

Von Brigitte Voigt

Foto: Privat

Betrachtet man die Entwicklung des Menschen vom Einzeller bis zum heutigen Tag, erscheint der Darm die Wiege des menschlichen Immunsystems zu sein. Denn er bildet nicht nur eine Barriere zur Außenwelt - ein Schutzschild gegen potentielle pathogene Einflüsse, sondern kann zwischen Freund und Feind differenzieren.

Im Laufe der Evolution ergab sich eine äußerst wirkungsvolle Symbiose mit Mikroorganismen auf inneren und äußeren Körperoberflächen. Die Anwendung modernster Analyseverfahren ermöglicht es heute, deren Anzahl auf 100 Billionen Bakterien zu errechnen. Im Magen-Darm-Trakt werden sie als Mikrobiota (Darmflora) bezeichnet. Diese wird bereits beim ungeborenen Fötus in der Schwangerschaft durch die Ernährung und den Lebensstil der Mutter initial bestimmt. Ihr Nutzen für unseren Organismus ist mannigfaltig.

Die Aufgaben

Neben ihrer wichtigen Aufgabe bei der Verdauung der aufgenommenen Nahrungsmittel deckt die Darmflora durch die Produktion von kurzkettigen Fettsäuren zu 40 Prozent den Energiebedarf unserer Darmschleimhaut und ernährt und pflegt diese. Sie hemmt die Produktion von schädlichen Stoffwechselendprodukten wie Ammoniak und Fäulnisgasen. Zusätzlich produziert sie Vitamine wie Vitamin K, Vitamin B12, Folsäure, Nikotinsäureamid und Biotin für unseren täglichen Bedarf. Da sie die Darmperistaltik anregt, unterstützt sie eine regelmäßige Stuhlentleerung und sorgt somit für eine kurze Verweildauer von gesundheitsschädlichen und krebserregenden Stoffen inneren oder äußeren Ursprungs im Körperinneren. Richten wir unser Augenmerk jedoch auf Ihre wichtigste Funktion:

Die Immunregulation

In Tierversuchen ließ sich beweisen, dass die Präsenz unserer Mikrobiota für uns lebensnotwendig ist, da sie unsere Abwehrzellen lehrt zwischen Freund und Feind zu unterscheiden und eine Toleranz gegen diese nützlichen körperfremden Mikroorganismen zu entwickeln. Eine Besiedlung der Darmschleimhaut mit physiologischen Mikroorganismen (=Kolonisationsresistenz) verhindert, wie auch der körpereigene

Mukus (=Schleim), das Anhaften und Eindringen krankmachender Erreger in die Darmschleimhaut.

Die Symbionten selbst sind in der Lage mikrobizide und mikrostatische Substanzen zur Zerstörung und Wachstumshemmung pathogener Keime zu produzieren.

In der Darmschleimhaut befinden sich zusätzlich einzelne und gehäuft auftretende Lymphfollikel mit einer größeren Anzahl an Abwehrzellen. (= GALT, gut associated lymphoid tissue), welche Soldaten gleich in Kasernen auf ihren Kampfeinsatz warten.

Die Mikrobiota und die mechanische Barriere der Darmschleimhaut bilden mit GALT und weiteren immunologischen und nicht zellulären Bestandteilen der Körperflüssigkeiten (wie Mukus, Lysozym) nicht nur ein sehr wirkungsvolles lokales Abwehrsystem, sondern sind für eine gut funktionierende, den ganzen Körper betreffende Immunabwehr unabdingbar. Wie zum Beispiel eine ausgewogene Mikrobiota im Darm mit ihrer Immunantwort auch die Nasenschleimhaut vor Erregern schützen kann, lässt sich über die Anatomie und Physiologie des Mukosa assoziierten Immunsystems (=MALT, mucosa associated lymphoid tissue) erklären.

Das Mukosa assoziierte Immunsystem (MALT)

Die Schleimhäute des menschlichen Körpers sind durch ihre Lage zur Aussenwelt ideale Eintrittspforten für pathogene Keime und benötigen deshalb besonderen Schutz. Aus diesem Grunde findet sich verstärkt Schleimhautgewebe mit einer Ansammlung von Abwehrzellen in folgenden Organsystemen wieder: in Augen und Ohren, im Bronchi-alsystem (=BALT, bronchial associated lymphoid tissue), Urogenitaltrakt, den Milchdrüsen der Brust, im Magen-Darm-Trakt (GALT) und im Hals-Nasen-Rachenbereich. (= NALT, nasal associated lymphoid tissue) Die Gesamtheit dieser lokalen Abwehrsysteme bilden das MALT.

Kann sich ein Erreger trotz lokaler Abwehr im Darm an die Darmschleimhaut anheften, wird er von Fresszellen (Makrophagen) zerstört und aufgenommen. Daraufhin werden seine Bestandteile spezialisierten Abwehrzellen, den Lymphozyten präsentiert. Diese wandern in die Lymphfollikel des Darms ein und gelangen über die Lymphgefäße in den Blutkreislauf.

Während ihrer Reise entwickeln sie sich, ausgestattet mit den Informationen über den unerwünschten Eindringling, zu Plasmazellen weiter, welche in der Lage sind gegen pathogene Keime individuelle Antiköper herzustellen und an den Schleimhautoberflächen des gesamten MALT abzugeben. Auf diese Art entsteht bei einem optimal funktionierenden Abwehrsystem im Gastro-Intestinal-Trakt ein individueller Schutz gegen bekannte Eindringlinge auf allen Schleimhäuten des menschlichen Körpers.

Schädigende Faktoren des Mikrobioms

Die sensible Kolonisation der Mikroorganismen kann allerdings empfindlich geschwächt werden. Die Liste der Agenzien ist lang. Schadstoffe und pathogene Erreger gehören genauso dazu, wie auch Dauerstress, hormonelle und immunologische Erkrankungen, Schmerz- und Abführmittel, Chemotherapeutika, Kortison, Umweltgifte und Lebensmittelzusatzstoffe. Antibiotika zerstören nicht nur unerwünschte pathogene Bakterien, sondern auch unsere physiologischen Darmbakterien - mit wiederum weitreichenden Folgen. Selbst unser Ernährungsverhalten kann die Darm-Mikrobiotika quantitativ und qualitativ verändern. Ein Ungleichgewicht zwischen den Bakterienstämmen kann in einem veränderten Körperstoffwechsel mit massiver **Gewichtszunahme** resultieren. Studien zeigten, dass bei normalgewichtigen Menschen ein Verhältnis von circa 8:1 zwischen den Bakterienstämmen Bacteroides und Firmicutes im Darm besteht. Mit der Zufuhr von hochkalorischer Kost kam es zu einer unverhältnismäßigen Zunahme der Firmicuten. Da diese Bakterien gegenüber den Bacteroiden eine erhöhte Nahrungsmittelausnutzung aufweisen, führte dies zu einer deutlichen Gewichtszunahme der Probanden.

Folgen einer gestörten Darm Mikrobiota

Die gesundheitlichen Konsequenzen eines aus dem Gleichgewicht geratenen Darmmikrosystems lassen sich sowohl lokal als auch systemisch wiederfinden.

Durchfälle, Nahrungsmittelunverträglichkeiten, Reizdarmsyndrom, chronische Obstipation sind richtungsweisend. Extraintestinale Beschwerden wie verstärkte Infektanfälligkeit, rezidivierende Harnwegsinfekte, rezidivierende Vaginalmykosen, enterogene Arthritiden, chronische und allergische Erkrankungen der Haut und Atemwege wie Neurodermitis, Psoriasis und Asthma stehen ebenfalls in einem engen Zusammenhang mit einer Darm-dysbiose und lassen sich teilweise durch das MALT erklären. Selbst Angstzustände, **Depressionen**, durch Stress verursachte Erkrankungen, **Multiple Sklerose** und **Autismus** können auf dem Weg einer Störung der Botenstoffe, wie zum Beispiel Serotonin, im Darm getriggert werden.

Die Diagnose

Die Situation der Darm-Mikrobiota eines Menschen lässt sich schmerzfrei durch eine Stuhluntersuchung darstellen. Für die Befunderhebung ist eine ausführliche Anamnese des Betroffenen allerdings zwingend notwendig. Die Stuhluntersuchung spiegelt weitgehend den Zustand der physiologischen Dickdarmflora und passagerer Fremdkeime wie der von Pilzen wider. Hierbei werden die Hauptvertreter des menschlichen Mikrobioms berücksichtigt, zu welchen ausreichend Informationen bezüglich ihrer Funktion und ihres Therapiespektrums vorliegen. Zu diesen gehören unteranderem: Escherichia Coli, Enterococcus spec., Bifidobakterien und Laktobazillen. Auf Grund der anatomischen Lage ist es nicht möglich, die spärliche Dünndarmflora in einer Routine-Stuhluntersuchung darzustellen und die wenigen, doch vorhandenen Mikroben des Dünndarms gehen in der Überzahl der Dickdarmbewohner unter.

Die Mikrobiologische Therapie

Seit Beginn des 20. Jahrhunderts verstärkten sich die Forschungen, eine gestörte Darm-Mikrobiota durch die Zufuhr physiologischer Mikroorganismen wieder ins Gleichgewicht zu bringen und das menschliche Immunsystem zu modulieren.

Heute steht dem Therapeuten eine Vielzahl von unterschiedlichen Präparaten zur Verfügung. Diese unterscheiden sich in der Zusammensetzung der verwendeten Mikroorganismen, deren

Keimzahl und der verwendeten Zusatzstoffe.

Die Mikroben können in abgetöteter oder lebensfähiger Form zugeführt oder als Individualarzneimittel aus inaktivierten, körpereigenen Bakterien des Patientenstuhl hergestellt werden. Die Mikrobiologische Therapie ist keine rein naturheilkundliche Behandlungsform, sondern längst ein **ernstzunehmender Zweig der Schulmedizin** geworden.

So kann die regelmäßige hochdosierte Gabe von Laktobazillen überschießende Reaktionen bei Lebensmittelallergien vermindern. Laktobazillen produzieren Stoffe, welche die Darmschleimhaut ähnlich einem Biofilm überziehen und somit den Kontakt zu den allergieauslösenden Nahrungsmitteln reduzieren.

Holländische Studien belegten die positiven Wirkungen von **Fäkaltransplantationen** bei Fällen von schwerer nosokomialer Enteritis durch das Bakterium Clostridium difficile. Dieser gerne im Krankenhaus beheimatete Keim verursacht eine Entzündung des Darms mit schweren Durchfällen und durchaus lebensbedrohlichen Komplikationen. Die Übertragung von physiologischer Darmmikrobiota über eine Magensonde oder im Rahmen einer Darmspiegelung in den betroffenen Patienten erwies sich als äußerst effizient gegenüber der bekannten Antibiotikatherapie.

„Der Tod sitzt im Darm" (Hippokrates, 460-370 n.Chr.)

Mag dieser griechische Philosoph eine sehr drastische Aussage getätigt haben, kann man nach dem heutigen Stand der Wissenschaft seiner Meinung insofern zustimmen, dass ein kranker Darm die Wurzel vielerlei Übel ist. Dies bedeutet, dass ein gut funktionierendes lokales Abwehrsystem im Darm eine Grundvoraussetzung für ein qualitativ **hochwertiges Immunsystem** für den gesamten Körper darstellt. Heute sind sich Naturheilkunde und Medizin dieser Problematik bewusst und arbeiten Hand in Hand, um den Betroffenen in Diagnostik und Therapie das Beste zu bieten und deren Beschwerden Abhilfe zu leisten.

Brigitte Voigt ist Heilpraktikerin in Darmstadt, www.natuerlichgesunden.de

Siehe Glossar Seite 33

Was sind eigentlich… Probiotika?

Mit „pro bios" (für das Leben) bezeichnet man bestimmte lebende Bakterien, die die Gesundheit des Menschen positiv beeinflussen können. Dazu zählen auch Lebensmittel als Probiotika, die solche Keime enthalten, zum Beispiel probiotische Joghurts und ungekochtes (kein Fertigprodukt) Fass-Sauerkraut. Das Besondere an diesen Bakterien ist, dass sie nicht von der Magensäure oder Verdauungsenzymen angegriffen werden, sondern den Magen und den Dünndarm passieren können und daher lebend in den Dickdarm gelangen. Dort beeinflussen sie die Zusammensetzung der Darmflora des Menschen positiv.

Die meisten Probiotika kommen aus der Gruppe der Milchprodukte zum Beispiel Lactobazillen und Bifidobakterien. Um als "probiotisch"

zu gelten, müssen sie ganz bestimmte Kriterien erfüllen: Sie dürfen keine krankmachenden Eigenschaften besitzen. Sie müssen lebend im Darm ankommen. Ihr gesundheitlicher Nutzen für den Menschen muss erwiesen sein.

Prebiotika…

(auch Präbiotika) sind spezielle Ballaststoffe und Stärkesorten, die bestimmte Bakterien im menschlichen Dickdarm füttern, damit diese wachsen und sich vermehren können. Damit die Prebiotika im Dickdarm auch wirken können, müssen sie allerdings unverdaut von Magen und Dünndarm im Dickdarm ankommen. Das funktioniert also nicht mit Brötchen und Leberwurst. Die wichtigsten Prebiotika sind Inulin und Oligofruktose. Sie kommen in vielen Pflanzen vor: in geringen Mengen in Getreide, Zwiebeln, Knoblauch und Spargel, in größeren Mengen in Löwenzahnwurzeln, Chicoree, Schwarzwurzel, Artischocke, Pastinake und Topinambur. Inulin ist auch der Grundstoff zur Herstellung von Fructose, die in Diabetikerlebensmitteln verwendet wird. Es gibt auch noch andere nichtverdauliche Ballaststoffe, denen jedoch keine gesundheitsfördernde Wirkung zugerechnet werden kann; deshalb sind das keine Prebiotika.

Synbiotika

Produkte, die gleichzeitig Pre- und Probiotika enthalten, bezeichnet man als „synbiotisch" (Syn = zusammen), weil beide zusammen eine positive Wirkung auf die Gesundheit versprechen.

Gesunde Darmflora

Der Dickdarm ist ein eigenes kleines Biotop. Unzählige Mengen an Bakterien sind dort angesiedelt. Darüber existieren unterschiedliche Weltanschauungen. Rechnen wir mit mehr als 500 Spezies. Diese Darmbakterien können in drei Bereiche eingeteilt werden.

Milchsäurebakterien: Dazu gehören zum Beispiel die Bifidobakterien*, Lactobacillus (Unterarten auch zur Herstellung von Joghurt, Käse, Sauerrahmprodukten und Sauerteig) sowie Streptococcus (Krankheitserreger).

Bakterien, die nur ohne Sauerstoff leben können (anaerobe Bakterien), zum Beispiel Clostridium difficile, ein widerstandsfähiger Darmkeim, der schwere Durchfälle initiieren kann. Clostridien vermehren sich immer dann besonders rasant, wenn die normale Darmflora durch Antibiotika geschwächt ist.

Bakterien, die Sauerstoff zum Wachstum brauchen (aerobe Bakterien), z.B. Enterokokken, Staphylokokken

Siehe Beitrag über Udo Pollmer auf Seite 24

Die Zusammensetzung der Darmflora ist relativ stabil. Als gesund wird sie bezeichnet, wenn die gesundheitsfördernden Bakterienstämme in diesem großen System überwiegen. Als besonders positiv wird dabei eine hohe Anzahl an Bifidobakterien sowie an Lactobazillen angesehen. Negativ bewertet werden die Bakterienstämme der zweiten und der dritten Gruppe, vor allem die Clostridien, die z. B. bei gewissen Durchfallerkrankungen vermehrt vorhanden sind.

Normalerweise bildet die Bakterienflora ein stabiles System, welches verhindert, dass sich krankmachende Bakterien oder andere Mikroorganismen im Darm ansiedeln können. Eine gesunde Darmflora bietet also einen guten Schutz gegen das Eindringen von schädlichen Fremdbakterien, die dann zu Erkrankungen führen können.

Störungen der Darmflora

Die normale Zusammensetzung der Darmflora wird durch verschiedene Faktoren beeinflusst, zum Beispiel durch das Lebensalter oder durch Verdauungsflüssigkeiten, durch bestimmte Keime; positiv wie negativ. Die Bakterien der Darmflora erledigen unterschiedliche, meist nicht unbedeutende Aufgaben. Sie verstoffwechseln Kohlehydrate und andere Stoffe, auch Medikamente. Eine der wichtigsten Aufgaben ist die Abwehr krankmachender Fremdkeime wie etwa gegen Salmonellen. Und sie beeinflussen den Teil des Immunsystems, der mit der Darmwand in Verbindung steht.

Das Gleichgewicht der Darmflora wird gestört durch Faktoren wie Antibiotika, Alkohol, Stress, ballaststoffarme Nahrung. Dann ist die Darmflora nicht mehr in der Lage, fremde schädliche Keime abzuwehren. Besonders Medikamente, nicht nur Antibiotika, führen zu einem Umbau der Zusammensetzung und damit zu einer Irritation der Darmflora. Folgende Krankheitsbilder sind bekannt:

Infektiöse Darmerkrankungen

Salmonellen, als häufigste durch Lebensmittel übertragene Erreger, besiedeln leicht den Darm. Eine stabile Darmflora tötet sie ab.

Darmerkrankungen durch Medikamente

Dazu zählen vor allem Durchfälle, die bei einer Antibiotikatherapie auftreten können. Aber auch Entzündungen des Darms (Enteritis bzw. Enterokolitis), die nach einer Strahlentherapie auftreten können, sind hierzu zu zählen. Hier ist es notwendig, die Darmflora nach der Therapie wieder aufzubauen.

Chronisch-entzündliche Darmerkrankungen

Immer wieder in der Diskussion ist die Annahme, dass bestimmte schädigende Keime der Darmflora für die Entstehung der chronisch-entzündlichen Darmerkrankungen Morbus Crohn und Colitis ulcerosa mit verantwortlich sind. Durch den Einsatz von Probiotika und Prebiotika erhofft man sich eine Unterstützung bei der Behandlung dieser Erkrankungen. Noch wird zu wenig geforscht, um diese Erkrankungen zuverlässig heilen zu können. Auch die mangelhafte Disziplin der Patienten verwässern Prognosen und Therapiesicherheit.

Immundefekte

Ein geschwächtes Immunsystem erleichtert den Befall des Darms mit den krankheitserregenden Keimen oder auch die Besiedelung von Darmabschnitten mit Bakterien, die normalerweise nicht besiedelt sind. Was letztlich der Auslöser für einen Immundefekt ist - ein nicht abwehrfähiges Immunsystem, fehlerhafte Diagnose und Therapie oder die Störung der Darmflora – wird noch lange ungeklärt bleiben. **So lange dient dieser Begriff als Erklärung, wenn es nichts zu erklären gibt.** UFi

---

1,3 Milliarden US-Dollar jährlich kostet die Borreliose in den USA.
Basis: 240.000 bis 440.00 Fälle.
Quelle: Johns Hopkins Bloomberg School of Public Health

Eine gute Darmflora benötigt artgemäße Ernährung, gesunde Lebensführung und die Zufuhr lebensfördernder Bakterien.

Quelle: Zschocke

Antibiotika verlieren ihre Nebenwirkungen

Von Anita Frauwallner

Foto: Privat

Antibiotika sind bei vielen Erkrankungen eine Wunderwaffe gegen gefährliche Bakterien und eine dringend notwendige Therapie, die Leben retten kann. Dennoch ist es wichtig darauf hinzuweisen, dass auch sie nicht frei von Nebenwirkungen sind, da Antibiotika an der Darmschleimhaut zu Schäden führen können: Fast jeder kennt die Symptome von Übelkeit oder die Durchfälle während oder nach einer Antibiotikaeinnahme. Meist sind diese Unverträglichkeiten leicht und verschwinden nach einigen Tagen wieder von selbst.

Manchmal können diese Durchfälle jedoch - vor allem bei Kindern und älteren Menschen - schwerwiegender werden, wenn durch das Antibiotikum gleichzeitig zu viele natürlich im Darm lebende Bakterien zerstört werden und das Stoffwechsel- und Immunsystem aus dem Gleichgewicht gerät. Dann können sich gefährlichen Durchfallkeime (wie zum Beispiel Clostri-dium difficile) rasch vermehren und zu schweren, ja sogar lebensbedrohlichen Durchfällen führen. Diese Erkrankung nennt man dann Antibiotika-assoziierte Diarrhoe (AAD).

Falscher Einsatz von Antibiotika

Leider werden heute Antibiotika vielfach zu oft und auch falsch eingesetzt, was zu immer häufigeren Resistenzbildungen führt. Dies bedeutet, dass immer mehr Antibiotika ihre Wirkung verlieren. Antibiotika helfen zum Beispiel nicht bei Virusinfektionen wie etwa Grippe, Erkältung oder akuter Bronchitis. Dennoch kommen sie gerade hier immer wieder zum Einsatz, was enorme gesundheitliche Schäden zur Folge hat.

Seit einigen Jahren setzt sich durch neue Forschung die Erkenntnis durch, dass der Verlust der im Darm ansässigen Bakterien zu vielen vor allem chronischen Erkrankungen führt. Dies resultiert zuerst in einer **Dysbiose**, das heißt in der Vermehrung krankmachender Keime und in Folge in einer sogenannten „silenten (chronischen) Entzündung", die weder in einer Darmspiegelung noch durch andere Untersuchungsmethoden leicht zu entdecken ist.

Diese Entzündungen sind hierzulande jedoch die häufigste Ursache für Krankenstände. Sie können sich immunologisch auswirken - in den meisten Fällen in Erkrankungen des oberen und unteren Respirationstraktes (obere Luftwege) und der Harnwege - sie können aber auch zum Reizdarmsyndrom führen oder zu chronischen Hauterkrankungen.

Wiederentdeckung der Milchsäurebakterien

Die gesundheitsfördernde Wirkung von probiotischen Bakterien bei antibiotikabedingten Durchfallerkrankungen geht schon auf die Zeit zurück, als noch alte Hausmittel in Form von Joghurt verabreicht wurden. Die heutige wissenschaftliche Beschäftigung mit diesen Darmsymbionten (Gemeinschaft der Mikroorganismen im Darm) hat nun allerdings zu einer ganzen Reihe von Erkenntnissen geführt, welche die Schädigungen im Darm durch den Einsatz von medizinisch relevanten Synbiotika (Nahrungsmitteln zugesetzte Zubereitungen) rückgängig machen können.

Wunderwerk Darm

In unserem Darm leben etwa 100 Billionen nützlicher Bakterien, die vielfältige Aufgaben haben. Sie helfen unter anderem jene Immunzellen zu bilden, die unseren Körper vor schädigenden Einflüssen bewahren. Sie helfen bei der Aufspaltung der Nahrung, filtern Giftstoffe wie Spritzmittel, Farbstoffe und ähnliches aus dem Nahrungsbrei, produzieren Vitamine, lebensnotwendige Aminosäuren, Enzyme und Fettsäuren für mehr Energie und schützen uns gegen krankmachende Eindringlinge.

Probleme entstehen dann für uns, wenn zum Beispiel durch die Gabe von Antibiotika innerhalb weniger Tage der Großteil dieser lebenswichtigen Darmbakterien abstirbt, ganz einfach als Kollateralschaden dieser starken Medikamente.

Antibiotika zerstören neben krankheitsauslösenden Keimen auch gesunde Darmkeime und bringen die Darmflora damit aus ihrem Gleichgewicht. So können sich zum Beispiel antibiotikaresistente, infektionsauslösende Bakterien rasch vermehren und es kommt zur sogenannten Antibiotika-assoziierten Diarrhoe (AAD).

Eine AAD liegt dann vor, wenn man kolikartige Schmerzen und Bauchkrämpfe oder mehr als drei Stuhlentleerungen am Tag hat, der Stuhl sehr weich bis flüssig ist, die Stuhlmenge sich deutlich vermehrt hat und diese Beschwerden gleichzeitig oder bis zu 20 Tage nach einer Antibiotika-Einnahme auftreten.

Wie verhindert man eine Antibiotika-assoziierte Diarrhoe (AAD)?

Idealerweise nimmt man dafür ein Synbiotikum, das gewährleistet, dass möglichst viele verschiedene probiotische Bakterienstämme in den Darm gelangen, sich dort vermehren und die krankheitsauslösenden Bakterien zurückdrängen. Am sichersten ist die Formel: **Kein Antibiotikum ohne Probiotikum.**

Eine besonders wirkungsvolle Bakterienkombination zur Behandlung der AAD wurde vom österreichischen Institut Allergosan aus Graz entwickelt. In jener im Jahr 2007 fertiggestellten Studie (die übrigens unter den zwölf besten Probiotika-Studien der Welt firmiert!) zeigte sich, dass dieses als OMNi-BiO-TiC® 10 AAD in Apotheken erhältliche Produkt nicht nur das Auftreten von Durchfällen bei den mit Antibiotika behandelten Patienten reduziert, sondern dass auch die natürlichen Abwehrmechanismen gestärkt werden konnten und die zerstörte Bakterienflora sich bereits innerhalb von zwei Wochen weitgehend wieder regeneriert.

Dabei handelt es sich um ein wissenschaftlich geprüftes Synbiotkum, also eine Zusammensetzung aus einem Probiotikum mit zehn verschiedenen, natürlichen Bakterienstämmen und einem Prebiotikum (Ballaststoffe und Stärkesorten), welches den gesunden Keimen im Darm zur optimalen Vermehrung und Aktivierung dient. Die hohe Gesamtzahl von fünf Milliarden aktiver Bakterien pro Einnahme und die ausgewogene Zusammensetzung der hochaktiven Bakterienstämme dienen der optimalen Behandlung einer AAD. Empfehlenswert ist die Einnahme bereits am ersten Tag einer Antibiotika-Therapie, um die Nebenwirkungen dieser starken Medikamente zu minimieren. Die Einnahme erfolgt am besten **auf nüchternen Magen**, um die Bakterien schnellstmöglich in den Darm gelangen zu lassen, wo sie ihre Aufgaben erfüllen.

Warum wirken medizinisch relevante Pro- und Synbiotika?

Die ausgewählten probiotischen Keime verfügen über die Fähig-

keit, an die Darmschleimhaut-Zellen anzudocken. Dies verhindert das Wachstum von krankheitsauslösenden Keimen, da diese im Wettstreit um Nährstoffe zurückgedrängt werden und sich somit langsamer vermehren können. Absicht ist zusätzlich, jene besonders gefährlichen Keime wie Clostridium difficile, die den Darm auf Dauer schädigen, nicht nur zu verdrängen, sondern sie auch an der Ausschüttung von Toxinen zu hindern und sie damit wirkungslos zu machen.

Können hochdosierte Probiotika längerfristig angewendet werden?

Neben der kurzzeitigen Anwendung während einer Antibiotika-Therapie haben sich hochdosierte Probiotika auch für den täglichen Einsatz über lange Zeit bewährt, zum Beispiel bei chronischem Reizdarmsyndrom oder auch als begleitende Therapie bei chronischen Hautproblemen, da sich gezeigt hat, dass häufig eine Korrelation zwischen dem Zustand der Haut und jenem der Darmschleimhaut gegeben ist. Probiotische Bakterien haben unter anderem auch eine schützende Wirkung, die das Eindringen von aggressiven Nahrungsbestandteilen und von Allergenen und Toxinen verhindert, aber vor allem haben sie sich auch zur Entzündungshemmung bewährt.

Mag. Anita Frauwallner ist unter anderem Präsidentin der Österreichischen Gesellschaft für probiotische Medizin.

info@allergosan.at

Wie entsteht Darmkrebs?

Das sagen die Internisten:

„Darmkrebs kann durch eine entsprechende genetische Veranlagung begünstigt werden. Verwandte ersten Grades von Patienten mit Darmkrebs weisen ein ungefähr doppelt so hohes Erkrankungsrisiko auf wie Personen ohne betroffene Angehörige. Es wird angenommen, dass bei ungefähr 90 Prozent der Patienten Veränderungen im Erbgut zu Darmkrebs führen, bei fünf bis sechs Prozent ist eine erbliche Form im engeren Sinne erwiesen."

Das sagt die Deutsche Krebshilfe:

Darmkrebs sei die zweithäufigste Krebserkrankung bei Männern und Frauen in Deutschland. Das Robert Koch-Institut schätzt, das jährlich 64.000 Menschen neu erkranken. Das Krebsrisiko werde beeinflusst durch eine **erbliche Belastung** und durch **Faktoren des Lebensstils**. Am negativsten würden sich Tabakkonsum und Übergewicht auswirken. Ebenfalls bedeutend seien Bewegungsmangel und eine unausgewogene Ernährung.

Durch körperliche Aktivität lasse sich die Wahrscheinlichkeit, an Dickdarmkrebs zu erkranken, um 20 bis 30 Prozent reduzieren. Dieser Zusammenhang sei sehr überzeugend. Regelmäßiges Training reduziere den Glukose- und Insulinspiegel und vermindere die Menge an Fettgewebshormonen im Blut. Die Autoren vermuten, dass Sport und körperliche Aktivität chronische Entzündungsprozesse im Körper senken, das Immunsystem stärken und Prozesse unterstützen, durch die der Körper Schäden im Erbgut reparieren könne.

Das meint das Portal Net-Doktor:

Ungefähr zwei Drittel der Erkrankungen seien im Dickdarm (Kolon) angesiedelt, während der Rest im Mastdarm (Rektum) auftrete. Der Dünndarm sei in weniger als fünf Prozent der Fälle von Krebs betroffen.

Die Autoren vermuten, dass es bei ballaststoffarmer, fettreicher und vor allem fleischreicher Ernährung zu einer Verlangsamung der Darmpassage kommt, wodurch krebserregende Stoffe mit der Darmschleimhaut länger in Kontakt bleiben und somit die Darmzellen schädigen. Bei NetDoktor wird als zusätzliche Risikofaktoren zum **Tabak** auch der **Alkohol** gezählt.
Menschen mit Diabetes mellitus Typ 2 hätten in der Anfangsphase der Erkrankung erhöhte Insulinspiegel im Blut. Diese seien nach Einschätzung von Ärzten dafür verantwortlich, dass das Risiko für Darmkrebs etwa dreifach erhöht sei.
Menschen, die an Colitis ulcerosa* oder Morbus Crohn** leiden, hätten ein erhöhtes Risiko, an Darmkrebs zu erkranken. Bei Colitis ulcerosa sei das Risiko sogar um das Fünffache erhöht.

*Colitis ulcerosa (Dickdarm-Entzündung)

Ursachen und Risikofaktoren sind bisher kaum bekannt. Wissenschaftler vermuten, dass eine familiäre Veranlagung in Zusammenhang mit bestimmten Risikofaktoren steht. Bis heute wurden einige Gene entdeckt, die in veränderter Form vorliegen bei Patienten mit Colitis ulcerosa. Ernährung und Umweltfaktoren scheinen ebenfalls eine Rolle zu spielen. Aber: Auch das Immunsystem spiele eine Rolle. Forscher vermuten, dass bestimmte Darmbakterien und eine Fehlfunktion des Immunsystems (!) ebenfalls zu Colitis ulcerosa führen können.

**Morbus Crohn (Entzündung im Dünn- wie auch im Dickdarm-Entzündung)

Bei Morbus Crohn kommt es zu einer Entzündung nicht nur der Schleimhaut, sondern aller Wandschichten des Darms. Die Entzündungen bei Morbus Crohn können unterschiedlich stark ausgeprägt sein und dementsprechend unterschiedlich starke Symptome hervorrufen. Außerdem kann es zur Bildung von Geschwüren, Engstellen (Stenosen) und Verbindungsgängen (Fisteln) mit anderen Organen kommen.

Typisch ist bei Morbus Crohn ein segmentales Befallsmuster, das heißt, dass sich gesunde mit erkrankten Darmabschnitten abwechseln. Morbus Crohn tritt meist schubweise auf; Betroffene können also auch lange Zeit beschwerdefrei sein. Typische Ursachen seien bis heute weitgehend unbekannt. Vermutet werde ein Zusammenspiel von erblichen, immunologischen (!) und psychischen Faktoren.

Das Deutsche Krebsforschungszentrum…

beschwichtigt auf seiner Internet-Plattform, dass von rezeptpflichtigen zugelassenen Medikamenten normalerweise kein Risiko ausgehe, weil sie durch Studien vor der

Zulassung gründlich untersucht worden wären. Tatsächlich gebe es aber einige Mittel, die das Risiko für bestimmte Krebsarten erhöhen: Auf diese könne angesichts der Schwere der Erkrankungen, gegen die sie eingesetzt werden, trotzdem meist nicht verzichtet werden. Eine Nichtbehandlung wäre für betroffene Patienten weit gefährlicher

Das Deutsche Ärzteblatt...

berichtete im Oktober 2011, dass zwei unabhängige US-Forschergruppen in Darmkrebstumoren genetisches Material eines ansonsten im Darm seltenen Bakteriums namens Fusobacterium necrophorum gefunden hätten. Dieses fadenförmige Bakterium spiele beim gesun-

den Menschen eine ungeordnete Rolle; es finde sich eher in der Mundhöhle. Lediglich bei Patienten mit Colitis ulcerosa habe man sie im Darm in dichter Besiedlung aufgefunden. Ob Fusobacterium necrophorum sich durch eine geänderte Darmflora vom Mund in den Darm bewegt, darüber wird noch nicht einmal spekuliert oder zumindest nicht laut.

Darmsanierung

Von Susanne Holzhausen

Foto: Privat

Ein von den meisten Borreliose-Patienten zu wenig beachtetes wichtiges Thema ist die Darmsanierung. Kaum jemand mit chronischen Beschwerden hat eine intakte Darmflora (gesunde Darmbakterien) und eine gesunde Darmschleimhaut, was eine jede Therapie erschwert oder sogar verhindern kann. Durch Ernährungsfehler, Stress und mangelnde Bewegung kann es bereits bei „Gesunden" zu einer Darmdysbiose (Ungleichgewicht der Darmflora) kommen. Sind dann noch Antibiotika-Therapien notwendig, führen diese häufig zu einer chronischen Beschädigung des Darmsystems. Die gesunde Darmflora wird verdrängt und kann den Schutz der Darmschleimhaut vor Fäulnisgiften, vor Bakterien, Parasiten, Pilzen und anderen Schadstoffen nicht mehr ge-

währleisten. Die Darmschleimhaut wird durchlässig. (Siehe "leaky-gut-Syndrom" auf Seite 27.)

Kaum jemand weiß, dass in der Darmschleimhaut der überwiegende Teil unserer Immunarbeit geleistet wird und dass der Darm ein eigenes Nervensystem besitzt, dessen Zellen mit dem Gehirn kommunizieren. Kommt es zu einer Störung des Darmsystems, wird nicht nur unsere Immunabwehr, sondern unser gesamtes Regulationssystem massiv gestört. Es stellen sich die bekannten Symptome wie Verstopfung, Blähungen, Krämpfe, Hauterkrankungen, Allergien und Darmentzündungen sowie Müdigkeit, Erschöpfung, Konzentrationsmangel, Unausgeglichenheit und schlechte Laune ein. **Dann ist es höchste Zeit, sich um den Darm zu kümmern.**

Eine Darmsanierung ist darauf ausgerichtet, die Bakterienflora des Darms aufzubauen und eine geschädigte Darmschleimhaut abzudichten. Zur Vorbereitung der Darmsanierung kann man den Darm „putzen". Dies geschieht quasi automatisch bei Fastenkuren. Intensiver ist der Erfolg jedoch bei (vorsichtigen) Einläufen, Colon-Hydro-Therapie und anderen Maßnah-

men zur Darmspülung.

Als wichtigste Maßnahme bei der Darmsanierung und als Nachsorge bei jeder Antibiotika-Therapie ist die kurmäßige Einnahme von guten Probiotika (lebende Darmbakterien) unerlässlich. Die Präparate müssen so aufbereitet sein, dass eine möglichst große Anzahl „guter" Bakterien durch den Verdauungstrakt bis zum Dickdarm gelangen. Manche Hersteller bieten Mittel mit spezifischen Bakterien sowohl für den Dünndarm als auch für den Dickdarm an. Diese probiotische Kur bewirkt bei manchen Patienten bereits eine deutliche Besserung der Allgemeinbefindlichkeit und sie hat häufig zum Abbau von Therapieblockaden beigetragen. Die Darmflora regeneriert sich, Vitamine werden wieder besser aufgenommen und die Immunleistung nimmt zu. Die Probiotika-Einnahme muss über einen längeren Zeitraum durchgehalten werden, oft bis zu einem Jahr, bis sich die Darmflora nachhaltig erholt hat. Ist die Darmschleimhaut durchlässig, muss die Behandlung mit Mitteln zur Abdichtung und Regeneration der Schleimhaut kombiniert werden.

Begleitend zur Darmsanierung ist

auch bei Borreliose bedingten Gelenkschmerzen eine Ernährungsumstellung sowie Entschlacken, Entgiften und Entsäuern empfehlenswert. Das bedeutet eine vorübergehende bis dauerhafte Umstellung der Ernährung auf basenreiche Vollwertkost mit viel Gemüse und Obst und wenig tierischen und industriell verarbeiteten Produkten. Zucker ist zu vermeiden. Auf Brot, Nudeln, Kartoffeln sollte besonders abends verzichtet werden. Eine Überprüfung auf Lebensmittelunverträglichkeiten könnte sinnvoll sein. Zum Ausbalan

cieren eines unausgeglichenen Säure-Basen-Haushalt gibt es zusätzlich zahlreiche Produkte wie Mineralstoffpulver oder -tabletten. Viele Patienten sind erstaunt, wie schnell durch Maßnahmen zur Entsäuerung die Schmerzen in den Gelenken gelindert werden können.

Da bei Borreliose-Patienten häufig Schwermetallbelastungen anzutreffen sind, müssen diese unbedingt ausgeleitet werden. Hier gibt es verschiedene Möglichkeiten. Für zu Hause empfehle ich gern zur allge-

meinen Entgiftung und zur Förderung des Wohlbefindens häufige basische Vollbäder (circa 37°) oder häufige Basen-Fußbäder (bei einer bestehenden Herz-Kreislaufschwäche eher als Vollbäder) mit Präparaten mit einem hohen ph-Wert (9,5) sowie pflanzliche Trinkkuren - und zum „Sauerstoff tanken" natürlich viel Bewegung an der frischen Luft (Spazieren gehen, Rad fahren).

Susanne Holzhausen praktiziert als Heilpraktikerin in Dahlenburg bei Lüneburg; sie begleitet den BFBD seit vielen Jahren als Fördermitglied.

Udo Pollmer über Bifidobakterien

Was soll man nun glauben? Während die Ernährungsindustrie auf vielen Lebensmitteln ihre Bifidobakterien als besonders gesundheitsfördernd anpreist, erhoben sich schon vor zehn Jahren ganz andere, nicht weniger kompetente Stimmen. Udo Pollmer zum Beispiel, der aus Funk und Fernsehen bekannte Ernährungswissenschaftler: „Über eine Milliarde probiotischer Keime namens Bifidobacterium etc. tummeln sich in jedem Joghurtbecher. Nun pflegen sich profane Joghurtbakterien nicht an der Darmwand anzuheften, weil sie von frischer Milch leben und nicht von Verdautem. Andererseits können die vornehmen Probiotischen noch nicht einmal Milch dick legen, eigentlich die Hauptaufgabe für ein Milchsäurebakterium. Deshalb muss man die be

gehrten Bazillen in den anderweitig gesäuerten Joghurt einrühren. Vielleicht ahnen Sie jetzt, woher die probiotischen Kulturen stammen, die sich in den Falten unserer Gedärme ansiedeln sollen?" Pollmer behauptet, Bifidobacterium seien nichts anderes als Darmbakterien, meist menschlichen Ursprungs, auch aus Schweinekot oder Mäusedärmen isoliert. Guten Appetit. Bifidobakterien seien auch nicht per se gesund; sie könnten unter anderem Karies und Gehirnhautentzündung verursachen, mahnte der Schweizer Lebensmittelmikrologe Prof. Michael Teuber schon vor zehn Jahren. Sorgen Bifidobakterien wirklich für eine gesündere Darmflora? Angeblich verdrängen probiotische künstlich angesiedelte Bakterien die guten körpereigenen Bifi

dobakterien. Nach der Zufuhr künstlicher Bifidobakterien sei die Zahl der natürlichen weitaus geringer als vor dem Verzehr von Joghurt und Co. Für Mikrobiologen ist das wenig überraschend, dass die Zufuhr künstlicher Bifidobakterien die Darmflora negativ beeinträchtigt. Pollmer; „Die meisten Bakterien haben keine Lust, sich mit irgendwelchen Erregern anzulegen. Sie streiten sich lieber am Futternapf mit ihren nächsten Verwandten. Deshalb verdrängen die aggressiven Neuankömmlinge die angestammte Bifidoflora aus ihren Nischen, ohne sich jedoch selbst ansiedeln zu können". Quelle: Udo Pollmer: Prost Mahlzeit! Krank durch gesunde Ernährung. 2006. UFi

Kein Durchfall trotz antibiotischer „Rosskur"

Ein Erfahrungsbericht von Ute Fischer

Gut, es sind acht Jahre vergangen, seit dem ich die damals von verschiedenen Seiten empfohlene Borreliose-Therapie nach dem amerikanischen Arzt Dr. Joseph Burrascano in

Angriff nahm. Es war nicht die erste Therapie in 30 Jahren, sondern die Achte. Ich hatte zwar von allen Vorgänger-Therapien profitiert. Aber nach wenigen Monaten, Jahren ka-

men wieder Gelenkschmerzen, Nachtschweiß, Watte im Kopf, die das Denken erschwerte und verlangsamte. Nun also: 14 Wochen Ceftriaxon, an vier Tagen der Woche von

Montag bis Donnerstag, täglich vier Gramm. Das war eine Hammer-Therapie, wie man mir bestätigte. Und trotzdem wollte ich sie als letzte Chance.

Antibiotische Therapien führen nicht selten zu Durchfällen, Darmkrämpfen und Blähungen. Oft genug scheitert das Durchhalten der Behandlung an diesen Nebenwirkungen. Schuld daran sind Erreger der Antibiotika-assoziierten Kolitis (CDAD)/(Dickdarm-Entzündung), die bei der Eliminierung auch der guten Darmbakterien Überhand gewinnen und deren Platz einnehmen. Informierte Ärzte empfehlen daher ihren Patienten während einer Antibiose die Einnahme von sogenannten Probiotika als Ersatz der guten Darmbakterien. Sie sind zwar enthalten in probiotischem Joghurt (Milchsäurebakterien), Sauerkraut und verschiedenen Nahrungsergänzungsmitteln. Aber es war mir klar, dass ich gar nicht so viel Joghurt und Sauerkraut hätten zuführen können, um meine Darmflora so günstig wie möglich erhalten zu können. Als gut wirksam und Durchfall-verhindernd erwiesen sich folgende probiotische Kulturen, die in dem apothekenpflichtigen, aber nicht verschreibungspflichtigen Produkt Darmflora plus select

(PZN-4837433) enthalten sind.
Lactobacillus acidophilusLactobacillus casei
Lactobacillus rhamnosus
Lactobacillus plantarum
Bifidobacterium breve
Streptococcus thermophilus
Bifidobacterium bifidum
Bifidobacterium lactis

Eine Meta-Analyse in der Cochrane Library (2013; doi:10.1002/14651858. CD006095.pub3) ergab nicht signifikante, aber doch bemerkenswerte Vorteile. Bei 23 Einzelstudien mit 4.213 Erwachsenen und Kindern erkrankten unter Probiotika zwei Prozent an einer CDAD, aber sechs Prozent unter Placebo. **Demnach würden Probiotika das Risiko einer CDAD um nicht weniger als 64 Prozent senken.**

Die Forscher versehen ihre Ergebnisse trotzdem mit einem Fragezeichen, weil für ein optimales Ergebnis die doppelte Anzahl von Probanten notwendig gewesen wäre. Trotzdem: **Unter Probiotika kam es zu 20 Prozent seltener zu Nebenwirkungen als in der Placebo-Gruppe.** Quellen: aerzteblatt.de

Zurück zu meinem Erfahrungsbericht. An keinem Tag dieser 14 Wochen traten bei mir Durchfall oder Darmbeschwerden auf. Die Borre-

liose-Beschwerden vergingen schnell. Nach einer Woche benötigte ich keine Hüftgelenk-Prothese, was die Schmerzen eigentlich in Aussicht gestellt hatten. Nach der zweiten Woche verging der Nachtschweiß. Nach der dritten Woche konnte ich wieder messerscharf denken. Es ging mir gut. Trotzdem zog ich die gesamte Therapie durch. Die ganzen Wochen arbeitete ich jeweils 48 Stunden und ging drei Mal pro Woche mit gebremster Intensität joggen. Ich möchte mit diesem Bericht ganz gewiss nicht diese eine Therapie empfehlen. Sie hat bei mir gewirkt. Das ist alles. Wir wissen, dass jede Borreliose anders ist und auf ein anderes Immunsystem trifft. Vielleicht hätte mir auch eine andere Therapie Profit gebracht. Aber ich denke, dass Entscheidende war das Durchhalten, das Ertragen-Können, weil ich meinem Darm täglich gute Bakterien zugefüttert habe, auch wenn vermutlich die meisten von der nächsten Infusion wieder abgeschossen wurden.

Wir wissen heute viel mehr über den Darm und seine wichtigen Funktionen. Die Recherche zu diesem Heft bestätigte mir vieles, was ich bisher nur instinktiv vermutet hatte. **Bauchgefühl war gestern. Wie wäre es mit „Darmgefühl"?**

Heilfasten – Großreinemachen für den Darm

Von Ute Fischer

Fasten als Ritual der körperlichen und geistigen Reinigung stammt aus Urzeiten. Alle großen Religionsstifter – Buddha, Mohamed, Moses, Christus – zogen sich mit Zweifeln und Fragen in die Wüste zurück, fasteten Tage und Wochen und kehrten erleuchtet und mit gereinig-

ten Gedanken zurück. Fasten wird in der traditionellen Kirchengeschichte noch heute als Weg zur inneren Ordnung, als Wegfindung und Reifung erlebt. Nahezu jeder, der sich dem Fasten hingegeben hat, spricht von innerer Reinigung, von einem Gefühl des Neugeboren-

Seins, vom Großreinemachen im Körper und gleichzeitig von der Loslösung der Gedanken von Alltagsquerelen, überflüssigen Wohlstands-Scheinsorgen und Konzentration auf das Wesentliche. Fasten nennt sich die Kur aller Kuren. Die gesundheitsfördernde Wirkung kommt daher, dass der Mensch rund 30 Prozent seines gesamten Energieaufwands allein mit der Verdauung verbraucht. Beim Fasten kann diese Energie zur Aktivierung der Selbstheilungskräfte benützt werden.

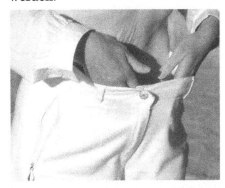

Fasten kann man sich vorstellen wie Groß-Reinemachen im Haus. Im gesamten Körper gibt es viele Zimmer, Nischen, Ecken und Schubladen, wo sich über Jahre, Jahrzehnte, meist ein ganzes Leben lang Dinge angesammelt haben, die keiner braucht, die niemand vermisst, die einfach übrig blieben und irgendwo herum gammeln und trotzdem bremsenden, behindernden Einfluss auf unseren Organismus ausüben: Arzneimittelreste, Schwerme-

> Das therapeutische Fasten darf nicht als ausschließliche Maßnahme des Abnehmens betrachtet werden. Denn wer nach dem Fasten zu seinen früheren Ernährungsgewohnheiten, die zu Mehrgewicht geführt hatten, zurück kehrt, wird den oft zitierten Jojo-Effekt erleben und schneller und mehr als zuvor an Gewicht zunehmen.

talle, Umweltgifte, Konservierungsstoffe, Lebensmittelfarben. Sie sind in allen Organen; am deutlichsten sichtbar im Darm. Bei meiner Darmspiegelung waren trotz vorheriger Darmspülung und mehreren Fastenkuren zum Beispiel Hinweise vom Monate langem Konsum von

Sennesblättertee als Abführmittel erkenbar; und das 50 Jahre danach.

Fasten heißt nicht Hungern. Großes Erstaunen ergreift Erstfaster, dass sie keinen Hunger verspüren; der Körper hat den Verdauungsmodus abgestellt hat. Sobald der Darm entleert ist, schaltet sich der Energiemodus ein. Alle Organe des Gesunden arbeiten auch im Fasten sicher weiter. Wer trotzdem hungert, hat etwas falsch gemacht.

Fasten von heute auf Morgen funktioniert nicht. Aufs Fasten muss man mental eingestimmt sein. Auch an kalten Tagen mitten im Winter ist davon abzuraten, weil man fastend leichter friert. Freilich könnte man sich in einer Hütte im Schnee zurückziehen und sich mit Feuer und Decken warm einheizen. Wer das kann, bitte sehr.

Fastenklinik oder Gruppe

Am einfachsten gelingt es, wenn man sich in eine Fastenklinik begibt oder in eine Fastengruppe unter ärztlicher Begleitung. Es geht aber auch mit einem guten Fachbuch und der eingehenden Lektüre, was einen erwartet und worauf man sich einstimmen sollte. Denn Fasten entlastet nicht nur den Köper, sondern auch unser Denken. Das Schlafbedürfnis verringert sich; das hat nichts mit Schlaflosigkeit zu tun, sondern mit unserem Geist, der unbelastet von Verdauung vor sich hindenkt. Nicht selten lassen sich beim Fasten Lösungen finden für Probleme, die man seit Langem vor sich herschiebt. Man ermüdet bei Anstrengung schneller, erholt sich aber auch rasch wieder. „Fasten ist ein Weg in unsere seelisch-geistige Mitte; es dient der Positionsbestimmung und der Reifung des Ichs." (Fastenarzt Hellmut Lützner).

Wie beginnen?

Die Tage vor dem Fasten sollte der Konsum von Fett in jeder Form eingeschränkt werden. Gemüse und Obstzubereitungen und deren Ballaststoffe sorgen für eine geplante zügige Kotpassage bei der Darmentleerung am Fastenbeginn. Dies erfolgt mit in Wasser aufgelöstem Glaubersalz. An diesem Tag sollte man sich nichts anderes vornehmen als Ruhe und die Nähe der Toilette. Ab da gibt es nur noch Wasser, Tee und Gemüsebrühe. Auch der Laie kann sich vorstellen, dass diese ständige Durchspülung von Magen und Darm über Tage reinigende Wirkung entfaltet. Als Wohltat werden tägliche warme Leberwickel empfunden. Dies fördert das Entgiften und Reinigen durch Leber und Niere. Bürstenmassagen regen den Abfluss der Lymphe an. Wie gut der Körper ent-

Fotos: U. Fischer

schlackt, sieht man an der Zunge. Sie ist grau oder braun. Raucherzungen sehen manchmal dunkellila aus. Der ganze Körper entlüftet sich. Man riecht seltsam beim Fasten. Die Haut wird trocken und muss gefettet werden, am besten mit einem pflanzlichen Öl. Auch wenn dem Darm über

Tage keine Feststoffe mehr zugeführt werden, liefert er dennoch weiter kleine Mengen Stuhlgang. Dass sich weitere Stoffwechsel-Endprodukte ankündigen, merkt man an den sogenannten Fastenkrisen wie Kopfschmerzen, Müdigkeit, Schwindel. Ein Einlauf mit warmem Wasser alle zwei Tage spülen den Darm und sorgen für schnelles Wohlbefinden.

Bei Normalgewichtigen reichen schon drei bis vier Tage, um Arzneimittelreste nach einer längeren Therapie „auszuspülen". Dass man zwei und drei Wochen fastet, ist nicht ungewöhnlich. Mancher Faster wird regelecht süchtig nach Fasten, weil es ihm so gut geht, weil er sich unbelastet fühlt, besser denken kann, klare Haut und strahlende Augen im Spiegel sieht. Die Konsequenz des Fasten-Brechens ist, dass man mit

fettlosen Minimal-Portionen von Äpfeln, Gemüse und eingeweichten Zwetschgen die Peristaltik des Darms wieder anregt und ein gutes Konzept entwickelt hat, wie man den Darm und damit sich selbst künftig „netter" behandelt.

Literaturempfehlung: „Wie neugeboren durch Fasten", Hellmut Lützner, Verlag Gräfe und Unzer, 2013, aktualisierter Klassiker seit 1976, 12,99 € .

Antibiose ohne Probiotika undenkbar

Dr. med. Carsten Nicolaus, Augsburg

Foto: U. Fischer

Patienten mit Borreliose und anderen von Zecken übertragenen Erkrankungen leiden in einem hohen Prozentsatz an gastrointestinalen Beschwerden und Symptomen. So sind zusätzliche Erkrankungen wie

Reizdarm, Leaky gut, SIBO (small intestinal bowel overgrowth/ Dünndarmfehlbesiedlung), spezifische Darmerkrankungen wie Morbus Crohn sowie Candida oder andere Pilzerkrankungen keine seltenen Befunde. Teilweise bestehen diese Erkrankungen schon zuvor, teilweise sind sie aber auch erst später im Rahmen der Langzeiterkrankungen zusätzlich erworben worden. Ein Teil besteht ätiologisch auf Autoimmunprozessen, die während einer anderen chronischen Erkrankung ausgelöst worden sind. Sehr häufig sind neben den chronisch verlaufenden Infektionen aber auch lokale oder generelle Entzündungen mitverantwortlich.

Wenn chronische Infektionen therapeutisch behandelt werden müssen, stellt die klassische Antibiose auf

jeden Fall eine wichtige Option dar. In diesem Fall halten wir eine Begleittherapie mit Probiotika für unabdingbar. Ohne Probiotikaschutz liegt der "Antibiotika-assozierter Diarrhoen" bei mindestens 30 bis 40 Prozent aller Patienten. Dieser Prozentsatz kann auf deutlich unter zehn Prozent abgesenkt werden, wenn man Therapie begleitend neben der Antibiose sofort Probiotika einsetzt.

Große Beachtung sollte auch auf die Zusammensetzung der Probiotika gelegt werden. Bestimmte Stämme, die regelmäßig zum Einsatz kommen, können auch das Auftreten von den gefürchteten Clostridium difficile Infektionen nahezu komplett verhindern. Eine Antibiose ohne Probiotika ist für unsere Behandlung undenkbar.

Leaky-Gut-Syndrom (Leck im Darm)

Verliert die entzündlich veränderte Darmschleimhaut ihre schützende Barrierefunktion gegenüber Bakterien, unverdauten Nahrungsmitteln und Stoffwechselendprodukten,

dann können diese durch den „löchrigen Darm" in den systemischen Kreislauf geraten und in anderen Organen gleichzeitig entzündliche Veränderungen bewirken. Spe-

ziell Heilpraktiker empfehlen als erste hilfreiche Maßnahme zur „Stillegung" und „Erholung" des Darms therapeutisches Heilfasten.

Auch Orthopäden denken an den Darm

Dr. med. Thomas Laser, Bad Griesbach

Foto: Privat

Als Orthopäde habe ich natürlich nicht die erforderliche fachliche Qualifikation, mich zu gastroenterologischen Fragen zu äußern. Dennoch kann ich aus meiner bisherigen Erfahrung mit Borreliosepatienten und Langzeitantibiose Folgendes berichten: Von allen Patienten mit verordneter Langzeitantibiose von mehr als zwei Monaten wurde mit wenigen Ausnahmen Doxycyclin in der von der Deutschen Borreliose-Gesellschaft empfohlenen Tagesdosis eingenommen. Weit mehr als die Hälfte der Patienten hatte keinerlei Magen-Darm-Probleme. Ein kleiner Teil berichtete über kurzfristiges Unwohlsein direkt nach der Einnahme des Antibiotikums. Bei Umstellung der Nahrung zum Zeitpunkt der Medikamenteneinnahme gaben die meisten Probanden eine bessere Verträglichkeit an.

Ernsthafte Unverträglichkeiten im Bereich des Darmtraktes wurden **nur in circa zehn Prozent der Fälle** berichtet. Hier konnte durch Umsetzen auf ein anderes Antibiotikum die Antibiose weitgehend störungsfrei fortgesetzt werden. In wenigen Fällen konnten erhebliche Zunahmen der Borreliose-Beschwerden festgestellt werden, die als Herxheimer-Reaktion bewertet werden dürfen und wieder abklingen. Bei jedem Patienten wird auf die Möglichkeit dieses Phänomens hingewiesen. Zusätzliche Einnahmen von Probiotika konnten aufgetretene Darmunverträglichkeiten gut kompensieren. Die Hinweise auf eine der Antibiose angepasste Ernährung (Alkoholkarenz, keine Milchprodukte direkt nach der Einnahme von Antibiotika) wurde allen Patienten erklärt. Eine kontinuierliche Rückmeldung und regelmäßige Kontakte mit den Patienten erhöhen verständlicher Weise die Compliance (Therapieeinverständnis und -Befolgung).

Befürchtungen, dass eine Langzeitantibiose eine große Gefahr darstellt, konnte ich in den letzten zehn Jahren nicht feststellen. Neben Berichten über nur mäßige Besserungstendenzen konnte zum Glück von etlichen Patienten eine **sehr große Besserungsrate**, zum Teil auch völlige Restitution (vollständige Heilung) der Beschwerden nach der Langzeitantibiose berichtet werden. Die wichtigste Empfehlung an Patienten ist die Mitteilung, dass fast alle Patienten mit gleicher Therapie eine sehr gute Verträglichkeit melden und **Ängste, die von anderen Ärzten geschürt werden, sich nicht bewahrheiten**.

„Hauskeime" pflegen

Dr.med. Notburg Glass, Darmstadt

Foto: Privat

Die lange Einnahme von Antibiotika wird wider Erwarten von Patienten gut vertragen. Sie sollten im Speiseplan häufig milchsaure Produkte stehen haben. Auch der alte "Kanne Brottrunk" (1/2 Glas verdünnt mit Wasser, täglich nach dem Mittagessen) ist hilfreich sowie die Einnahme von Probiotika sinnvoll, um die Lebensbedingungen der "Hauskeime" zu verbessern.

> **Fastfood ist für den Darm ein Zeichen von Verachtung. Damit es ihm gut geht, braucht er gründliches Kauen und angemessene Ruhe für die Verdauung.**
>
> Quelle: Zschocke

Probiotika nicht notwendig

Dr. med. Wolfgang Klemann (MD), Pforzheim

Foto: U. Fischer

Seit 20 Jahren werden in meiner Praxis Langzeitantibiosen bei chronischen Infektionen wie Borreliose, Bartonellose, Chlamydiose, Mykoplasmose, Yersiniose, Babesiose, Rickettsiose, Q-Fieber ect. durchgeführt. In dieser Zeit habe ich zwei oder drei Fälle von Antibiotika-Induzierter Clostridium-difficile-Infektion (CDI) erlebt, ein Mal nach der Einnahme von zwei Tabletten Amoxicillin (wegen eitriger Bronchitis), ein Mal nach längerer Gabe von Cef-

triaxon. Beide Fälle konnten durch prompte Gabe von Vancomycin i.v. beherrscht werden. In letztgenanntem Fall kam es im weiteren Verlauf – bei weiterer Antibiotika-Pflichtigkeit - immer nach Gabe eines oralen Antibiotikums zum Rezidiv einer CDI, nicht jedoch bei intravenös applizierten Antibiotika (Doxycyclin i.v., Metronidazol i.v., Azithromycin i.v. wurden im Verlauf problemlos vertragen); auf die neuerliche Gabe von Ceftriaxon wurde wegen Rezidiv-Gefahr für CDI verzichtet.

Wenn man die Anzahl der in meiner Praxis (oder auch Ambulatorium) täglich absolvierten i.v.-Applikationen von Antibiotika bedenkt (seit mindestens 15 Jahren 10-30 Antibiotika-Infusionen/ Tag), erkennt man, dass „the worst case" (der schlimmste anzunehmende Fall), nämlich eine CDI, **wirklich selten passiert.**

Vor zehn Jahren kam auch in meiner Praxis Ceftriaxon viel häufiger zum Einsatz als heutzutage – bei vielen Patienten kam es darunter be-

reits nach drei bis fünf Tagen zu schwererem Durchfall (aber nicht zu CDI), was jeweils zu Therapie-Abbruch zwang. Diese Erfahrung – aber auch andere Erkenntnisse - führten zu einem Wechsel der Medikamentenauswahl: Heute behandle ich Spätborreliose-Fälle bevorzugt mit Doxycyclin i.v. in Kombination mit Metronidazol i.v. **Darunter kommt es fast nie zu Durchfall.** Die Gabe eines Probiotikums erscheint mir dann auch nicht notwendig.

Eine erst wenige Jahre alte Erkenntnis besteht ja darin, dass insbesondere der Dickdarm physiologischerweise von einer großen Menge Bakterien (1000 verschiedene Species) und fakultativ auch von Pilzen besiedelt ist (Mikrobiom). Unter Antibiotika-Gabe kommt es wohl zu einer Änderung des Spektrums dieser Besiedelung, jedoch – wie oben genannte Zahlen belegen - sehr selten zu einem "Kahlschlag" mit alleinigem Überleben von Clostridium difficile.

Borreliose und der Darm

Dr.med. Harald Bennefeld, Bad Neustadt

Foto: U. Fischer

Borreliose-Patienten klagen im Rahmen ihrer Grunderkrankung gelegentlich über sogenannte gastrointestinale Beschwerden, das heißt Schwierigkeiten von Seiten des Bauches und des Darmes. Dabei handelt es sich jedoch nur um selten auftretende Symptome. Viel häufiger sehen wir bei unseren Patienten jedoch Probleme mit dem Verdauungstrakt im Rahmen der durchgeführten Therapien.

1. Häufig wird über Änderungen der

Sensibilität im **Mundbereich** berichtet, insbesondere bei der Einnahme von Clarithromycin tritt ein „metallener Geschmack" auf. Hierbei handelt es sich um eine bekannte und oft beschriebene Nebenwirkung des Präparates.

2. Magenprobleme treten gelegentlich nach der Einnahme von Antibiotika auf. Dies wird besonders häufig im Rahmen der Behandlung mit Azithromycin berichtet. Als einfachste

Lösung **empfehle ich eine Veränderung der Dosis**: statt 500mg an drei Tagen in der Woche kann eine Änderung auf 250mg an sechs Tagen bereits erfolgreich sein.

Außerdem berichten viele Patienten, dass die Verträglichkeit zunimmt, wenn sie das Präparat nicht am Morgen nach dem Aufstehen, sondern abends vor dem Schlafengehen einnehmen. Hier kann man jedoch keine verbindlichen Empfehlungen aussprechen; dies **muss von den Patienten individuell erprobt werden.**

3. Probleme mit dem Darm treten im Rahmen der Therapie mit Antibiotika am häufigsten auf. Viele Millionen und Milliarden von Bakterien, die einer sehr großen Anzahl von Gruppen angehören, leben im Darm. Ihre Existenz ist fast immer völlig physiologisch, also normal, und für eine geordnete Darmfunktion erforderlich. Immer leben einige pathologische, krank machende, Bakterien im Darm. Sie werden jedoch von der überwältigenden Mehrzahl der „guten" Bakterien zurückgedrängt – es existiert also ein sogenanntes physiologisches Gleichgewicht.

Im Rahmen antibiotischer Therapie wird dieses Gleichgewicht gestört, denn immer werden durch eine derartige Therapie nicht nur die Bakterien, die als Erreger pathologischer Infektionen (zum Beispiel Harnwegsinfekte, Lungenentzündungen oder eben auch Borreliose) angegriffen werden sollen, sondern auch eine große Menge der physiologischen, nützlichen Bakterien zerstört. Somit haben die sich eigentlich in der Minderheit befindenden pathologischen Bakterien plötzlich Möglichkeiten, sich zu entfalten. Bei unseren Patienten äußert sich dies in den meisten Fällen lediglich in Form von Durchfällen, gelegentlich auch einmal Schmerzen im Unterbauch.

Es liegt auf der Hand, dass dem möglichst rechtzeitig vorzubeugen ist. Dafür bemüht man sich, dem Darm jene Bakterien zuzuführen, die man im Rahmen der Therapie zerstört, aber eigentlich weiterhin benötigt und erhalten sollte. Entsprechende Präparate werden als „Probiotika" bezeichnet, von denen es unterschiedlichste Arten gibt.

4. Konkret sollte man im Rahmen der Therapie mit der Gabe dieser Mittel **möglichst bereits vor Beginn der Antibiose** starten, um Probleme weitestgehend zu vermeiden. Als einfachstes und kostengünstigstes „Präparat" empfehle ich immer das Essen von ein bis zwei Joghurt-, Kefir- oder Quarkprodukten pro Tag, wobei es sich durchaus um einfache Waren auch aus dem Supermarkt handeln kann, **es muss kein „Bio"-**, „Natur"- oder sonstiges besonders gekennzeichnetes und deshalb überteuertes Produkt sein.

Dieses Vorgehen hat sich in über 90 Prozent aller Fälle bewährt und funktioniert auch, wenn man es erst beginnt, nachdem die Durchfälle einige Tage nach Antibiotika-Beginn schon aufgetreten sind (kann ich übrigens auch aus eigener Erfahrung bestätigen). Bitte dabei immer den eventuell notwendigen zeitlichen Abstand zwischen der Einnahme von Antibiotika und den Milchprodukten beachten. Es ist unerheblich, wann am Tag man letztere zu sich nimmt.

5. Leider gibt es jedoch auch schwerwiegendere Probleme, denn im Darm leben nicht nur Bakterien, sondern **auch Viren und Pilze**. Diese können ebenfalls stark zunehmen, wenn die physiologischen Bakterien zerstört werden. Die bekannteste Art, die zu Problemen führen kann, ist der Candida. Die entsprechende Diagnostik besteht einerseits aus einer Untersuchung des Stuhls, anderer-

seits auch aus einer serologischen Untersuchung auf **Candida-Titer**. Im Falle eines positiven Ergebnisses sind entsprechende Therapien einzuleiten. Meiner Erfahrung nach sind die gängigen Präparate wie Ampho-Moronal oder Nystatin bei Borreliose-Patienten, die oft durch ein nicht genügend aktives Immunsystem zusätzlich geschwächt sind, nicht ausreichend, so dass ich Fluconazol vorziehe.

6. Ein seit einigen Jahren zunehmend auftretendes Bakterium darf nicht vergessen werden: es handelt sich um **„Clostridium difficile"**, ein - wie der Name schon sagt - wirklich „schwieriger" Keim. Das große Problem ist, dass Infektionen mit diesem Erreger sehr schwer verlaufen und in seltenen Fällen (ein bis zwei Prozent) auch tödlich enden können.

Das Bakterium lebt in etwa fünf bis 15 Prozent der Patienten als von der physiologischen Darmflora „unterdrückter" Erreger, diese Zahl nimmt jedoch aus bisher nicht ganz geklärten Umständen bereits bei länger dauernder Antibiotika-Therapie und auch im Rahmen von Krankenhaus-Aufenthalten auf bis zu 40 Prozent zu. Wenn dieser Keim sich ausbreitet, führt er zur „Clostridium difficile-Infektion – CDI", die sich vor allem durch sehr schwere wässrige Durchfälle auszeichnet, die umgehend sowohl antibiotisch als auch symptomatisch (Flüssigkeitszufuhr, gegebenenfalls auch mittels Infusionen) behandelt werden müssen. Die Krankheitsdauer liegt auch unter zielgerichteter Therapie in der Regel bei ein bis zwei Wochen und darf in ihrem Schweregrad keinesfalls unterschätzt werden.

Obwohl bei intravenöser Antibiose eine geringere Rate an CDI als bei oraler Therapie zu beobachten ist, muss beachtet werden, dass über die

Blutbahn verabreichte Medikamente selbstverständlich auch den Darm erreichen und damit das Risiko für eine CDI weiterhin relevant ist. **Insbesondere eine länger andauernde Therapie mit Antibiotika ist als Risikofaktor bekannt**, wobei schon Therapiezeiten über drei Wochen zu einer deutlichen Zunahme der Fälle führen können. Auch bei dieser Infektion scheint die Einnahme von Probiotika (gerne auch der oben genannten „einfachen") zu einer Verringerung der Zahl der betroffenen Patienten zu führen.

Leider gibt es zur Therapie der CDI nur drei wirksame Medikamente, wovon lediglich die ersten zwei für den Routinegebrauch verwendet werden können:

• Metronidazol
• Vancomycin
• Fidaxomicin (Dificlir).

Da es sich bereits bei Vancomycin um eines der wenigen Reserve-Antibiotika handelt, die im Falle des Auftretens multiresistenter Keime verwendet werden können, muss es unbedingt so restriktiv wie möglich eingesetzt werden. Insofern bietet sich bei der CDI zunächst nur Metronidazol als Medikament der Wahl an. Nur bei Auftreten

des sich immer weiter ausbreitenden Untertyps „Ribo 027" des Clostridium difficile, der äußerst aggressiv und gefährlich ist, soll nach aktuellen Empfehlungen gleich mit Vancomycin behandelt werden. Auch überwiegend für diese Fälle sowie zur Behandlung von - immer häufiger auftretenden – Rezidiven dient das dritte genannte Präparat, das zudem noch Therapiekosten von mindestens 180,-- Euro pro Tag (!) verursacht, also in der täglichen Praxis aus dem Therapieregime ausscheidet.

In Anbetracht der Zunahme der CDI und der Schwierigkeiten der Behandlung dieser Komplikation verwende ich Metronidazol grundsätzlich **nicht zu Beginn der Therapie einer Borreliose**, zumal bei diesem Medikament bisher immer noch nicht geklärt ist, inwieweit es längere Zeit nach der Therapie zu Krebserkrankungen führen kann. Die zur Verfügung stehenden Therapiemöglichkeiten, zu denen ich neben anderen Antibiotika auch alternative Methoden zum Beispiel aus dem naturheilkundlichen Bereich zähle, führen in den meisten Fällen zu den gewünschten Therapieergebnissen, so dass der Einsatz von Metronidazol auf wenige Fälle

beschränkt bleiben kann. Wenn er dann doch erfolgen muss, wende ich dieses Medikament immer am Ende der gesamten antibiotischen Therapien oder Therapiezyklen an, wenn anschließend für mindestens ein Jahr keine weitere Antibiose geplant ist. Damit kann erreicht werden, dass eventuelle CDI-Probleme mitbehandelt werden und nach der Metronidazol-Gabe voraussichtlich mit keiner weiteren CDI durch Antibiotika gerechnet werden muss.

Diese Erläuterungen sollen unsere Patienten informieren und auch zu einem **vernünftigen Umgang mit Antibiotika** anregen. Zur Beruhigung soll nicht unerwähnt bleiben, dass ich in den bisherigen 28 Jahren, in denen ich Borreliose Patienten behandele, tatsächlich erst einen einzigen Fall einer unter dieser Therapie ausgelösten CDI erlebt habe – und die gesamte Behandlung mit vollständiger Beschwerdefreiheit der damals chronisch betroffenen Patientin endete. Die Patientin ist auch jetzt nach vielen Jahren weiterhin gesund.

Dr. med. Harald Bennefeld
Neurologische Klinik Bad Neustadt
Tel.: 0176 / 77 99 77 88
e-mail: bennefeld@outlook.com

Bei Minocyclin kaum Darmprobleme

Dr.med. Petra Hopf-Seidel, Ansbach

Solange ein normaler Stuhlgang vom Patienten berichtet wird, gebe ich keine Probiotika, vor allem weil Minocyclin kaum Darmprobleme verursacht. Sobald Blähungen oder weicher Stuhl auftreten, empfehle ich Lactobacillen und Bifidobakterien. Präparatenamen möchte ich zwar hier nicht nennen, aber es gibt sogenannte "reine" Probiotika, die nur Lactobacillen und Bifidobakterien ohne weitere Zusatzstoffe enthalten, was ich bevorzuge.

> **Der Darm ist das Organ im Menschen, das am deutlichsten den Zustand der inneren und äußeren Grenzen spiegelt und auf deren Überschreitungen sensibel reagiert.**
>
> Quelle: Zschocke

Mikrobiom entscheidet über Gesundheit und Krankheit

Die unterschiedlichen Krankheitsverläufe einer Infektion, wie Lyme-Borreliose, hängen vermutlich mit dem unterschiedlichen Zustand der Darmflora (Mikrobiom) zusammen. Zu diesem Forschungsergebnis meldeten sich schon 2013 eine Gruppe von Ärzten um **Trevor G. Marshall** (Marshall Protocol) in einer US-Rheumatologenzeitschrift zu Wort. Sie beschrieben die Wechselwirkungen zwischen Krankheitserregern und menschlichen Proteinen, gepaart mit der Fähigkeit von Erregern, in die Prozesse des menschlichen Stoffwechsels einzugreifen und sie umzuprogrammieren. Pathogene Mikroben verändern unter anderem auf direktem Wege DNA-Reparaturprozesse. Eine chronische Erkrankung werde nicht durch einen einzelnen Defekt mit gerader Wirkungskette

ausgelöst, sondern durch **Hunderte von Protein-Wechselwirkungen**. Molekulare Ähnlichkeiten zwischen Proteinen mikrobieller und menschlicher Auto-Antikörper führen dazu, dass bei der Bildung von Antikörpern auch eine Bildung von Auto-Antikörpern ausgelöst wird, praktisch als Kollateralschaden. Eine Untersuchung zeigte, dass eine einzelne Infektion mit dem Mycobacterium tuberculosis die Expression (Gen-Information) von 463 menschlichen Genen verändert.

Wichtige Erkenntnis: Das Vererben von Autoimmunkrankheiten sei weniger eine Gen-Vererbung, sondern eher eine Folge der Weitergabe familiär typischer Mikrobiome, die **hauptsächlich von der mütterlichen Linie übernommen werden**.

Das Mikrobiom des Kindes bildet sich unmittelbar aus den Mikrobiomen der Mutter und naher Verwandter. Familiäre Häufungen von Autoimmunerkrankungen seien damit zu erklären, dass innerhalb der Familie – durch **Eltern und Geschwister, Verwandte** - Mikroben ausgetauscht werden. Verschiedene Studien regen an, dass statt des Nachweises einzelner Krankheitserreger besser die Gesamtheit des Mikrobioms untersucht werden müsste; vor allem, in welcher Art und Weise Genome von Krankheitskeimen Fehlfunktionen im Organismus und damit Krankheit verursachen. Quelle: Volume 25.Number2.March 2013 Current Opinion in Rheumatology (www.co-rheumatology.com).

UFi

Fäkaltherapie

Gute Darmbakterien transplantieren?

Die Übertragung fremder Fäkalien und damit Darmbakterien zu therapeutischen Zwecken wird an einigen Universitäten, überwiegend USA, in Studien und Pilotprojekten erprobt und beobachtet. Pioniere waren wohl Veterinäre, die Pferden mit Darmkoliken eine Brühe aus Pferdeäpfeln gesunder Tiere einflößten. Im Zentrum derzeitiger Studien für den Menschen steht das Bakterium Clostridium difficile, das die Darmwand entzündet und Proteine mit abführender Wirkung produziert. Der Dauerdurchfall zehrt die Kranken aus. **Alleine in Deutschland sterben rund 400 Menschen jährlich an dieser Infektion.**

Eine Studie in Amsterdam erwies einen signifikanten Unterschied bei

der Behandlung. Vier von 13 mit Antibiotika behandelte Menschen wurden gesund, bei der Fäkaltherapie waren es 15 von 16 Patienten. (Quelle: spiegel online). In einem Interview mit Spiegel online verlautbarte der US-Forscher Emeran Mayer (Universität of California, Los Angeles), dass derzeit viele Studien über die **Kot-Transplantation** laufen würden, unter anderem auch bei Reizdarm, Autismus und Alzheimer.

Mayer berichtete von einer Studie mit ängstlichen Mäusen, denen Fäkalien von mutigen Mäusen übertragen wurden und die sich tatsächlich mutiger entwickelten. In einer weiteren Studie versuchte man, dieses Experiment auf den Menschen zu übertragen, in dem man der Unter-

suchungsgruppe vier Wochen lang Joghurt mit bestimmten Bakterienstämmen zu Essen gegeben habe. Es sei aber kein Mut-Effekt erkennbar gewesen. Mayer begründet das damit, dass man besser Angst- und Depressions-Patienten hätte nehmen sollen.

Kritiker befürchten, dass sich bei der Transplantation von Stuhl auch gefährliche Erreger wie **Parasiten, Bandwürmer** und andere Krankheitserreger einschleusen ließen. Dieses Risiko ist wird nicht unterschätzt. Über ein anderes Risiko berichtete die Frankfurter Allgemeine Sonntagszeitung. Eine US-Amerikanerin mit Clostridium difficile hatte sich Stuhl ihrer gesunden Tochter implantieren lassen, mit dem Ergebnis, dass sie innerhalb weniger Monate zwanzig Kilo zunahm und eine ähnliche Fettleibigkeit wie ihre Tochter entwickelte. Nun muss sich niemand am Kot anderer laben. Die Unappetitlichkeit lässt sich umgehen durch Einlauf, Zufuhr über eine Magensonde oder auch als Kapsel, wie sie an der niederländischen Universität Wageningen erprobt wird. Der kanadische Gastroenterologe Michael Silverman bot bereits 2010 für alle, die nicht warten können, eine Do-it-yourself-Anleitung an. Man benötigt dazu außer der Kot-Spende Kochsalzlösung, ein Handrührgerät und einen Einlaufbeutel. UFi

Glossar

Agenzien	krank machender, wirksamer Faktor (Agens)
Bacteroides	Zucker verwertende Stäbchenbakterien in der Normalflora
Darmdysbiose	Störung im Gleichgewicht der Darmflora
Darmmikrobiota	Gesamtheit der Mikroorganismen, auch Darmflora
Darmzotten	fingerförmige Erhebungen der Dünndarm-Schleimhaut, um Stoffe aufzusaugen / zu resorbieren. Zwischen den Zotten liegen Drüsenzellen, die Verdauungssäfte produzieren
Gut (gat)	Englisch: Darm, Eingeweide
EHEC	Enterohämorrhagische Escherichia coli sind krankheitsauslösende Stämme des Darmbakteriums Escherichia coli (E.coli)
Enterogen	im Dünndarm entstanden
Firmicutes	Übergruppe von Bakterien, davon auch Krankheitserreger wie Streptococcis, Clostridium
Furanone	Aromastoffe in zahlreichen Lebensmitteln
Lymphfollikel	kugelige Zellhaufen
Lysozym	Enzym, das durch seine antibakterielle Wirkung zur Funktion des Immunsystems beiträgt
Mikrobizide	chemische Substanzen, die Mikroben abtöten
Mikrostatisch	Wachstumshemmend
Mukosa	Schleimhaut, auch Darmschleimhaut
Mukus	Schleim, der die Schleimhaut überzieht
Nosokomiale	im Krankenhaus aufgelesene Darmentzündung
Enteritis	Entzündung des Dünndarms
Obstipation	Verstopfung
Symbionten	Kleinere, an einer Symbiose beteiligten Arten

Impressum
Borreliose Wissen „Darm" März 2015, 1. Auflage   ISBN 978-3-7347-6083-9

Herausgeber: Redaktionsbüro Fischer + Siegmund
Postfach 4150, 64351 Reinheim, Telefon: 06162-2205, Fax 06162-1666,
E-Mail: ute.fischer@fischer-siegmund.de. www.fischer-siegmund.de.
Redaktion: Ute Fischer, Gestaltung: Bernhard Siegmund
Verlag: BOD, Norderstedt

Betrifft das unsere Neuroborreliose?

Leitlinien mit Müll untermauert?

Martin Huber Foto Maximilian Schönherr

Mehr als die Hälfte aller neurowissenschaftlichen* Studien seien Schrott, titelte Wissenschaftsjournalist Martin Hubert im Deutschlandfunk im Januar 2015. Die Mehrheit dieser Studien stände im Ruf, dass sie falsch seien. Auch deutsche Neurowissenschaftler würden eine stärkere Kontrolle ihrer Zunft fordern. Bereits vor einem Jahr behaupteten Forscher in mehreren Artikeln der renommierten Zeitschrift „lancet", dass **80 Prozent der biomedizinischen Forschung Müll** sei.

Ulrich Dirnagl, Direktor des Instituts für Experimentelle Neurologie an der Berliner Charité, äußerte sich gegenüber Hubert, dass er 80 bis 90 Prozent der neurowissenschaftlichen Studienergebnisse für nicht reproduzierbar, also für nicht wieder-

holbar halte. Unter anderem würden Probanden nicht nach dem Zufallsprinzip ausgewählt und die Zahl der Versuchspersonen sei oft zu klein.

Dirnagl macht für diesen Trend vorallem das Publikations- und **Belohnungssystem der Wissenschaft** verantwortlich. Karriere bemesse sich daran, wie oft man in hochrangigen Zeitschriften publiziere. Die nach diesem Prinzip verteilten Professuren und Gelder – sinngemäß - weckten Begehrlichkeiten, sich mit Publikationen hochzuschreiben. Es gebe Zeitschriften, da würden schon zwei Veröffentlichungen reichen, um einen Professoren-Job zu erlangen

Zwar gebe es schon Regeln für gute wissenschaftliche Praxis, doch an der Umsetzung scheint es zu hapern.

Für Arno Villringer, Direktor am Leipziger Max-Planck-Institut für Kognitions-und Neurowissenschaften, seien das richtige Impulse, die aber die Praxis noch nicht entscheidend verändert haben. An der Charité, so Dirnagl, müssten alle Doktoranden zur Doktorarbeit ihre Originaldaten abgeben. Jede 50. Doktorarbeit werde zufallsgesteuert herausgezogen, damit der Doktorand seine Daten und Befunde im Detail nachweise.

---

* Neurowissenschaften umfassen neben der Informationstechnik, Informatik und Robotik auch die Forschungsbereiche Psychologie und Medizin und hierbei auch die Grundlagenforschung über das Zentralnervensystem, über Ursachen und Heilungsmöglichkeiten von Nervenkrankheiten wie Parkinson, Alzheimer und Demenz und neuronale Abläufe bei der Wahrnehmung.

Die Redaktion: Vor diesem Hintergrund muss die Wahrhaftigkeit der AWMF-Leitlinien neu in Frage gestellt werden. Leitlinien-Autoren und die beteiligten Fachgesellschaften bedingen für ihre Inhalte und gegebenenfalls Änderungen, wie sie derzeit an beiden Leitlinien für Lyme-Borreliose und Neuroborreliose entwickelt werden, in erster Linie wissenschaftliche Studien.

Neu: metallfreie Antibiotika

Zur Herstellung vieler Antibiotika werden Metallkatalysatoren eingesetzt, die zu Verunreinigungen der Medikamente führen können. Wie das Chemistry – A European-Jour-

nal im November 2014 meldete, entwickelten Wissenschaftler in Wien, in Zusammenarbeit mit internationalen Kollegen, ein neues Herstellverfahren ohne Metallkatalysatoren.

Sie konzentrierten sich dabei auf Antibiotika, die auch bei der Behandlung der Lyme-Borreliose eingesetzt werden: Penicilline, Cephalosporine.

Asthma und Antibiotika

Frühere Untersuchungen berichteten von einem Zusammenhang mit der frühen Gabe von Antibiotika bei Kindern und einem später auftretendem Asthma. Diese Behauptung wollen schwedische Forscher des Karolinska Instituts in Stockholm widerlegt haben. Sie analysierten die Angaben von 500.000 Kindern und ihren schwangeren Müttern, die zwischen Januar 2006 und Dezember 2010 in Schweden geboren wurden. Das anfangs um 28 Prozent erhöhte Risiko schwand allerdings bei der Bereinigung der Daten um Einflussfaktoren wie Genetik, Umwelt und Lebensstil.

Bei der Untersuchung der Kinder und deren Einnahme von Antibiotika während der ersten Lebensjahre zeigte sich, dass die Asthma-Risiken der Kinder gleich hoch waren. Lediglich die Wahrscheinlichkeit, ein Asthma zu erleiden, war bei den Kindern besonders hoch, die Atemwegsinfektionen erlitten hatten. Dies legt nahe, dass entweder Asthma als Atemwegsinfektion missinterpretiert und falsch behandelt worden war oder dass die Atemwegsinfektionen das Asthma-Risiko gesteigert habe. Quelle: APA

Nationale Kohorte (NAKO) legt los

Von Ute Fischer

Klingt wie Massen-Exodus bei Hühnern. Gemeint ist jedoch eine große, die bisher größte Bevölkerungsstudie, die im Laufe der nächsten 20 bis 30 Jahre die Gesundheit von 200.000 Menschen zwischen 20 und

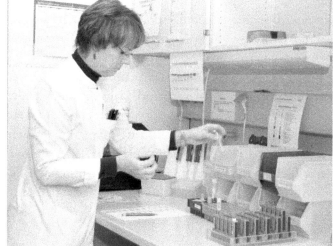

Foto: DGKL

69 Jahren unter die Lupe nehmen wird, auch um die Entstehung chronischer Erkrankungen besser verstehen und behandeln zu können. Angekündigt war sie bereits 2009. Aber erst jetzt sind alle 18 Untersuchungszentren unter Dach und Fach. Es sind Augsburg, Berlin-Nord, -Mitte, -Süd, Brandenburg, Bremen, Düsseldorf, Essen, Freiburg, Halle/Saale, Hamburg, Hannover, Kiel, Leipzig, Mannheim, Münster, Neubrandenburg, Regensburg, Saarbrücken. Keines in Hessen.

Im Vordergrund, so Karin Halina Greiser, stünden **chronische Krankheiten mit hoher gesellschaftlicher Relevanz**, etwa Herz-Kreislauf-Erkrankungen, Krebs, Diabetes, Lungenerkrankungen, Demenz und Depression. Es ginge aber auch um Erkrankungen des Muskel- und Skelettsystems sowie um Nieren- oder Magen-Darm-Erkrankungen, berichtet die Projektmanagerin am Deutschen Krebsforschungszentrum Heidelberg.

Interessant für die Borreliose-Forschung könnte sein, dass man Früh- und Vorstufen einer Erkrankung über einen Beobachtungszeitraum von zehn Jahren dokumentieren wolle, so Greiser. So könnte man rückblickend feststellen, ob es bei dem später erkrankten Menschen vorher schon auslösende Faktoren gab. Schon 2013 gab es die Absichtserklärung, dass man auch **Borrelien-Serokonversion (Antikörper) untersuchen wolle**. Sämtliche Proben werden an einem zentralen Ort gelagert und angeblich mit „standardisierten" Tests ausgewertet, verlautbarte Rafael Mikolajczyk. Welche das sein sollen, vor allem welche als standardisiert zu bezeichnen seien, konnte der Professor für Infektionsepidemiologie, Medizinische Hochschule Hannover, nicht beantworten.

Sich selbst zur Untersuchung melden, geht nicht. Die Auswahl der 200.000 wird nach dem Zufalls-Prinzip vom jeweils regionalen Einwohnermeldeamt getroffen. Alle Probanden durchlaufen eine Basisuntersuchung von etwa zweieinhalb Stunden. 40.000 ebenfalls zufällig Ausgesuchte werden ausführlicher innerhalb von vier Stunden untersucht. Die nächste Untersuchung erfolgt dann erst nach vier bis fünf Jahren. In der Zwischenzeit sind Fragebögen auszufüllen.

Was wird untersucht? Als erstes werden Blutdruck und Lungenfunktion, Größe und Gewicht erhoben, die **Konzentrationsfähigkeit** und **Gedächtnisleistung** gemessen. Es werden Fragen zur Lebenssituation gestellt wie Ernährung, sportlicher Aktivität, Bildung, Überforderung oder Anerkennung am Arbeitsplatz. Sogenannte Bioproben werden genommen: **Blut**, Urin, Stuhl, Speichel. Die besonders Ausgewählten erhalten zusätzlich ein Herz-Ultraschall und ein EKG gemacht und das Schlafverhalten wird geprüft. Alle erhalten eine Aufwandsentschädigung, die vor allem die Anfahrtskosten decken soll.

Angesichts der langen Untersuchungs- und Auswertungsintervalle

ist klar, dass alle Teilnehmer für die nachfolgende Generation mitwirken, es sei denn man erhält einen auffallenden Befund, um den man sich sofort selbst bei seinem Arzt kümmern sollte.

Frage an die NAKO: Im Bundesland Hessen gibt es kein einziges Studienzentrum. Dort gibt es mehrere Universitäten. Trotzdem: Kein Interesse in Hessen?

Björn Mergarten, NAKO Heidelberg: „Im Jahr 2009 gab es eine formelle Aufforderung an alle interessierte, epidemiologische Forschungsinstitute Deutschlands sich als einer der Standorte der NAKO zu bewerben. Die Bewerber formten während der Bewerbungsphase

regionale Cluster, um wissenschaftlich, organisatorisch und räumlich eng zu kooperieren. Mit Hilfe von vordefinierten Qualifikationskriterien und einer internationalen Begutachtung der Bewerbungen wurden damals 24 Forschungsinstitutionen (14 Universitäten, 5 Helmholtz-Zentren, 3 Leibniz-Institute und das Robert-Koch-Institut) ausgewählt, die den Vorgaben gerecht wurden. Keine der ausgewählten Forschungsinstitutionen kam damals aus dem Land Hessen. Letztendlich entstanden daraus die nun etablierten 18 Studienzentren der NAKO. Das Land Hessen ist aber trotzdem in der NAKO vertreten, da dort derzeit das geplante Mortalitäts-Follow-Up der NAKO-Studie angesiedelt ist.

Gesundheitspolitik

NRW – 90 Prozent der Puten antibiotisiert

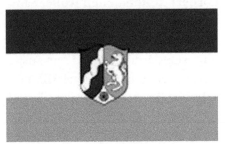

Neun von zehn Hähnchen und in der gleichen Relation die Puten wachsen unter Gaben von Antibiotika auf. Dieser Bericht kam von NRW, vorgetragen vom Präsidenten des Landesamtes für Natur, Umwelt und Verbraucherschutz, **Dr. Thomas Delschen**, im Morgenmagazin Volle Kanne im November 2014. Er bestätigte der Moderatorin das Risiko, dass Antibiotika beim Menschen nicht wirkten, wenn sie durch behandeltes Zuchtgeflügel – auch Kälber und Schweinchen – „antibiotisch vorbehandelt" seien. Seit den letzten Untersuchungen 2011 und 2012 habe sich praktisch nichts getan, dokumentiert die aktuelle Studie. Speziell

Zuchtgeflügel – so ein alter Bericht – werde vorzugsweise mit **Doxycyclin** gefüttert. Nach wie vor würden über 90 Prozent aller Puten in NRW mit Antibiotika wie **Amoxicillin** behandelt. Da nützt es auch nichts, wenn Delschen darauf hinweist, dass Ärzte insgesamt auf Wunsch der Patienten selbst bei Virusinfekten Antibiotika verschreiben würden, statt ein ernsthaftes Gespräch zu führen.

NRW-Verbraucherminister **Johannes Remmel** mahnt diese Zustände als „**Systemfehler der Bundesregierung**" an. Der massive Einsatz von Medikamenten, welche eigentlich nicht für Puten bestimmt sind, zeige, wie wichtig eine konsequente Kontrolle sei. Die Umwidmung von Medikamenten sei nur in Ausnahmefällen erlaubt. Unter den vier am häufigsten eingesetzten Wirkstoffen, befanden sich mit Colistin und Enrofloxacin zwei Wirkstoffe aus Sub-

stanzklassen, die erhebliche Bedeutung für den Menschen hätten und als sogenannte Reserveantibiotika bezeichnet würden, die eigentlich der **Humanmedizin** vorhalten seien. Der auch für Verbraucherschutz zuständige Remmel ließ sich jedoch nicht bewegen, ein Expertengespräch unter Einbeziehung von Patienten und Humanmedizinern einzuberufen.

Das Neuste: Versorgungsforschung

50 Mio. Euro legt das Bundesministerium für Bildung und Forschung (BMBF) bereit für ein Maßnahmenpaket zur Erforschung der neuen Herausforderungen an das Gesundheitssystem. Ziel dieser Studie, die im Zeitraum von 2015 bis 2018 von statten gehen soll, ist zu erfahren, wie die Zusammenarbeit über die einzelnen Fachgrenzen funktionieren muss. Das beginnt bei der Patientenversorgung durch Ärztinnen und Ärzte unterschiedlicher Fachrichtungen, eingeschlossen sind Pflegekräfte, Physiotherapeuten und weitere Berufsgruppen. Anlass ist der demographische Wandel und damit die steigende durchschnittliche Lebenserwartung. Auf Grund der wachsenden Zahl älterer und hochbetagter Personen wandelt sich die Nachfrage nach Gesundheits- und Pflegeleistungen. So weit so gut zitiert aus einer Broschüre des BMBF. Es ist das gleiche Ministerium, das vor Jahren eine Studie über Zoonosen finanzierte und uns Glauben machen wollte, **dass Borreliose keine Zoonose sei.**

Bemerkenswert ist dieser Absatz: „Darüber hinausgehende Informationen über die Häufigkeit und Verbreitung einer bestimmten Krankheit liefern Register. Werden zudem mögliche oder bekannte Risikofaktoren erfasst, können Zusammenhänge zwischen Risikofaktoren und der Krankheit erkannt und so wichtige Erkenntnisse hinsichtlich der Erkrankungsursachen gewonnen werden. Daneben können aber auch Daten zu ökonomischen Faktoren, der Struktur der Versorgungslandschaft oder zu einer Behandlungsqualität gewonnen werden." **Richtig: Borreliose kommt dabei nicht vor. Mangels genereller Meldepflicht gibt es keine Zahlen/Register.**

Original dieser Broschüre: publikationen@bundesregierung.de, Internet: http://www.bmbf.de oder Tel. 030-182722721 UFi

Glückspillen – das Gold der Pharmaindustrie
Depressionen nehmen dramatisch zu

Wir, die wir in der Borreliose-Beratung tätig sind, wissen, dass am Anfang einer Diagnose Borreliose erst einmal der Verdacht „Depression" wie ein Schwert über den Köpfen der Patienten schwingt. Vor diesem Hintergrund bereitet die Untersuchung der DAK und der Techniker Krankenkasse wissenden Patienten arge Bauchschmerzen. Im Jahr 2014 entfielen 17 Prozent aller Ausfalltage auf eine **Depression**, auf **Angststörung** und andere **psychische Leiden**; das ist ein Anstieg von zwölf Prozent im Vergleich zu 2013. Wie viele Depressionen davon eine Fehldiagnose der Borreliose sind, lässt sich nicht ergründen. Das interessiert die Krankenkassen nicht und auch nicht die Gesundheitspolitiker. Die DAK meint, das läge daran, dass das „Bewusstsein und die Sensibilität für psychische Leiden sowohl bei den Ärzten als auch bei den Patienten gestiegen" sei.

Die Pharmaindustrie, Nutznießer dieses Trends, hat niemand befragt. Doch die Zahlen sind bekannt. Weltmarkt-Umsatz 2010 in Höhe von **20,5 Milliarden US Dollar**; 2013 fast das Doppelte: **39,5 Milliarden US Dollar**. Fünf Prozent der Deutschen nehmen Antidepressiva, das sind **doppelt so viele wie vor zehn Jahren**. In Dänemark sind es zehn Prozent der Bevölkerung, in den USA sogar 15 Prozent. In Großbritannien werden so viele Antidepressiva verschrieben, dass Rückstände im Grundwasser gefunden wurden. „Diese Mittel werden mit ungeheurer Macht beworben. **Die Ärzte glauben das und verschreiben die Mittel**", erklärt der deutsche Pharmakologe Bruno Müller-Oerlinghausen. Quelle: Deutsches Ärzteblatt/ Yahoo.

Der gemeinnützige Verein Abgeordneten-Watch

klagt gegen den Bundestag. Ziel ist, ihn zu verpflichten, eine Liste aller **Lobbyisten** zu veröffentlichen, die unter der Hand einen Hausausweis erhielten. Eigentlich hätte die Bundestagsverwaltung bis Ende Januar 2015 dazu Stellung nehmen müssen. Doch offenbar spielt sie auf Zeit, und bat das Gericht um eine Fristverlängerung von vier Wochen. Die Initiatoren Gregor Hackmack und Boris Hekele befürchten, dass man sich auf ein langes Verfahren einstellen müsse, das möglicherweise sogar Jahre dauern könnte. Quelle: www.abgeordnetenwatch.de

Die Redaktion: Laut Süddeutscher Zeitung sind allein am Bundesgesundheitsministerium wenigstens 600 Lobbyisten am Werk, Politiker zu beeinflussen.

Vom Aussterben der Hausärzte

Von Ute Fischer

Allerorten in Deutschland rufen Kommunen und Landkreise ihre Bürger und Ärzte zusammen und bejammern das Auslaufmodell niedergelassener Ärzte besonders in ländlichen Regionen. Und die Kassenärztlichen Vereinigungen (KV), für die flächendeckende ambulante gesundheitliche Versorgung verantwortlich, zucken auch nur mit den Schultern. „Wir können uns keine Ärzte backen", verlautbarte vergangenen November Patricia Kaczmarek, Teamleiterin bei der KV Hessen.

Die Probleme sind offensichtlich: In den nun folgenden Jahren gehen viele Hausärzte und Allgemeinmediziner in den Ruhestand. Sie finden keine Nachfolger für die teils kleinen und in die Jahre gekommenen Praxen. Es fehlt der Nachwuchs, der bereit ist, Investitionen für eine eigene Praxis zu stemmen. Die Versorgungspauschale für Kassenpatienten reicht nicht aus, um alle Betriebskosten zu decken. Die meisten Fachärzte werden aus dem KV-Budget besser bezahlt. Um die Budget-Verteilungsschlüssel der fachärztelastigen KVen zu ändern, fehlt es an Präsenz der Allgemeinärzte. Sie sind einfach zahlenmäßig in der Minderheit, um mehr Einfluss nehmen zu können.

Die neuen Ärzte sind nicht mehr bereit, 60 bis 70 Stunden pro Woche zu arbeiten; soviel komme mit dem ganzen Abrechnungs- und Formularaufwand leicht zusammen. Nur mit einer guten Portion Privatpatienten sei der ganze Praxisapparat zu finanzieren. Das Ganze laufe nicht mehr ausschließlich aus Berufung, Helfen und Heilen zu wollen, sondern sei ein unternehmerischer Betrieb mit Chancen und selten vorhersehbaren Krisen. Neue Ärzte scheuen dieses unternehmerische Risiko und arbeiten lieber angestellt mit festen Arbeitszeiten. Sie sind auch nicht willens, sich mit einer eigenen Praxis an einem Ort festzusetzen, sondern bevorzugen die Freiheit, den Wohnort oder die Region wechseln zu können. Hinzu kommt eine „Verweiblichung" der Medizin, was vordergründig nicht als negativ anzusehen ist. Inzwischen sind rund 75 Prozent der Medizinstudenten Frauen. Grund: Sie haben die besseren Abiturnoten. Aber Frauen sind noch weniger bereit, sich für eine eigene Praxis über Jahrzehnte zu verschulden. Wenn sie Kinder haben wollen, so ist es für sie ebenfalls geschickter, in einem Angestelltenverhältnis zu arbeiten, angefangen vom Mutterschutz bis zur Möglichkeit der Halbtagsbeschäftigung, solange die Kinder noch klein sind und der Betreuung bedürfen.

Alternativen entstehen nur langsam zum Beispiel in Form von Praxiszusammenschlüssen mit Belegpraxen an wenigen Tagen der Woche. Das Modell Gemeindeschwester, als Alternative zum Arzt (bekannt aus Grönland und Norwegen), ist in der Diskussion. Und es entstehen Medizinische Versorgungszentren (MVZ), notgedrungen vor- manchmal auch komplett finanziert von den Landkreisen, um die Versorgungslücken mit angestellten Ärztinnen und Ärzten schließen zu können. Bezahlen muss die der Bürger über seine Steuern. Er zahlt als in diesem Fall – zusätzlich zu seinem Krankenkassenbeitrag - doppelt für seine gesundheitliche Versorgung.

Borreliose im Gefängnis

„Ich kann nur hoffen, das Ganze zu überleben"

Viele Borreliose-Patienten haben wahre Ärzte-Odysseen hinter sich und vor sich. Verzweifelt suchen sie nach einem Arzt, der sie und ihre Beschwerden ernst nimmt. Thomas Wolf, von der Bild-Zeitung erhielt er das Etikett „Deutschlands gefährlichster Bankräuber" aufgeklebt, wurde von Zecken heimgesucht, als er 2011 erpresstes Geld in einem Wald bei Hamburg vergrub. Er wurde schnell gefasst. Bereits in der Justizvollzugsanstalt Weiterstadt (Untersuchungshaft) zeigten sich die Symptome einer Borreliose. Er wurde jedoch als Simulant bezeichnet und nicht behandelt. Seiner Lebensgefährtin gelang es mit Hilfe des BFBD, zwei als Borreliose-Spezialisten zu bewertende Ärzte ins Gefängnis zu bringen. Beide diagnostizierten neben Co-Infektionen eindeutig Lyme-Borreliose. Wir berichteten darüber in BW 24/2011. Klägliche Therapieversuche wurden immer wieder von der Anstaltsärztin Dörnberger boykottiert.

Zwei Jahre später sitzt Wolf in der JV Rheinbach ein. Ausgerechnet in Rheinbach. Der Umzug schien anfangs als guter Schritt, weil ausgerechnet hier einer der beiden Borre

Foto: Wolfgang Hörnlein

liose-Ärzte wirkt. Er vertrat 1978 bis 1982 zeitweise sogar den Anstaltsarzt. Die heutige Anstaltsleitung bestreitet das und verweigert die Konsultation.

Wolf schrieb Weihnachten 2014: „Eine ärztliche Behandlung hinsichtlich der Borreliose findet weiterhin nicht statt. Wie auch? Der Anstaltsarzt kann es nicht; da fehlen ihm die Fachkenntnisse. Die Ärzte im Justizkrankenhaus Fröndenberg können es belegtermaßen ebenfalls nicht. Was also tun? Zwar empfehlen sie „dringend" eine Liquoruntersuchung als diagnostisches Mittel, aber es geschieht nichts.

Außerhalb dieser surrealen Zwischenwelt zieht man einen Facharzt hinzu, zumindest konsiliarisch. Dies geschieht hier nicht. Warum, könnte man fragen. Wahrscheinlich gibt es den einen Grund gar nicht. Es ist eine unheilvolle Ansammlung verschiedener Dinge, die hier hineinspielt. Ein überforderter, beratungsresistenter, sich dem Patientenwohl (und seinem Standeseid) nicht verpflichtet fühlender Knastarzt; eine feige, jeden Konflikt mit diesem Mann scheuende Anstaltsleitung und ein System, das diese Zustände deckt, notfalls vertuscht. Ein Prozess durch sämtliche Instanzen würde Jahre dauern, mit ungewissem Ausgang.

Knäste können – siehe Bruchsal – zu Todesfällen werden; ganz real. Das Schlimmste, was einem in diesem empathiefreien System passieren kann ist tatsächlich, chronisch krank zu werden. Da wünscht man, man wäre tot. Ich kann nur hoffen, das Ganze zu überleben."

Der Spiegel (43/2014) schrieb einen Bericht darüber, ob Wolf schwerkrank oder ein Simulant sei. Das Blatt spekulierte, dass die Beschwerden nur Bluff sein könnten, womit Wolf versuche, sich aus dem Knast heraus zu mogeln.   UFi

Wissen zusammen führen – eine soziale Fähigkeit
Gedanken über Sozialverhalten und Selbsthilfe heute

Besonders langjährige Borreliose-Patienten klagen, dass sie von ihren Ärzten nicht ernst genommen werden, dass sie gar aus der Praxis hinausgeworfen werden, wenn sie vergeblich versuchen, über Diagnostik und Therapie der Lyme-Borreliose zu diskutieren, mitzuwirken und mitzuentscheiden. Wenn sie sich jedoch den Entscheidungen des Arztes nicht fügen, laufen sie Gefahr, gar keine Therapie zu erhalten und als „austherapiert" verabschiedet zu werden. Wird sich das nie ändern?

(Zitat aus Süddeutsche) „Die klassischen Hierarchie-Ebenen wird es bald nicht mehr geben", meint **Erik Händeler**. Der Volkswirt und Zukunftsforscher vertritt die These, dass eine Kultur der Kooperation und das Sozialverhalten wichtige Eckpfeiler für den Wohlstand der Zukunft sein werden. Händeler bezieht sich in seinen Vorträgen und Fachaufsätzen zwar vordergründig auf Unternehmen. Aber ist der Unterschied so unrealistisch zum Arzt-Patienten-Verhältnis?

Auch dabei gibt es einen, der das Sagen hat und viele, die in der Schlange stehen, um zu überleben. Zudem sind da auch noch die Krankenkassen und Berufsgenossenschaften, die ihre teils freiwillig-, teils zwangsversicherten Mitglieder in Hierarchie-Ebenen zwingen, die weder mit Logik noch mit betriebswirtschaftlicher Produktivität zu tun haben. Beispiel: Was ist billiger? Einen Patienten gleich am Beginn einer Infektion adäquat zu behandeln oder den Krankheitsverlauf durch unzuverlässige Labortests, durch Unterdosierung und zu kurze Behandlung hinzuziehen, lange Arbeitsunfähigkeitszeiten, Reha-Aufenthalte in Kauf zu nehmen und dann zu jammern, wenn nur noch eine aufwändige Infusionstherapie zu helfen scheint? Wie muss der Mensch (Arzt und Patient) von morgen handeln?

Foto: Privat

Händeler (Zitat aus Süddeutsche): „Menschen müssen in der Lage sein, Wissen zusammen zu führen und sich vom Statusdenken zu verabschieden. Sie müssen ihre eigene Wahrnehmung hinterfragen. Sie müssen Konflikte transparent analysieren und mit offenem Visier streiten. Dazu ist Kooperationsbereitschaft nötig und die Fähigkeit, sich auf andere einzulassen. Sozialkompetenz auf allen Ebenen ist wichtig wie nie zuvor."

Die Redaktion: Betrifft das alle hierarchischen Ebenen?

Händeler (Zitat aus Süddeutsche): „ Ja. Der Erfolg in Beziehungen und Firmen wird davon abhängen, wie Menschen mit ihrem Wissen umgehen. Und Umgang mit Wissen ist immer auch Umgang mit

anderen Menschen, die man unterschiedlich gut kennt und unterschiedlich gerne mag. Wissen zusammenzuführen ist eine soziale Fähigkeit."

Die Redaktion: Kann man das auch auf Selbsthilfe-Gruppen und –Vereinigungen umsetzen?

Händeler (Zitat aus Politik und Parlament): Es geht nicht mehr so sehr um Einzelleistungen wie früher, sondern um die Produktivität von Gruppen, um deren Fähigkeit zur Zusammenarbeit. Weil der Einzelne ein Fachgebiet immer weniger überblicken kann, sind wir zunehmend auf das Wissen anderer angewiesen."

Die Redaktion: Wie bringt man Menschen dazu, sich sozial zu verhalten?

Händeler (Zitat aus Süddeutsche): „Es gibt eine ökonomische Notwendigkeit, sich kooperativ zu verhalten. Wenn man das nicht hinkriegt, ergeben sich hohe Reibungsverluste. Beim Beispiel Unternehmen wird man viel zu teuer produzieren und irgendwann vom Markt

verschwinden."

Händeler an die Redaktion Borreliose Wissen: „Ich bin selber überrascht, in welche Themengebiete ich mit meiner Zukunftssicht hineinkomme. Jetzt also das Arzt-Patienten-Verhältnis. Die anderen Aussagen sind so alle richtig, Sie ziehen mit Recht die Parallelität von Strukturveränderung in der Wirtschaft und wie sich das in anderen Gebieten wie dem Arzt-Patienten-Verhältnis auswirkt. Ich würde mich aber nur ungern als Kronzeuge gegen eine schlechte Behandlung durch die Ärzte/Schulmedizin gebrauchen lassen. Was sich aber durch die Veränderungen in der Arbeitswelt der Wissensgesellschaft auf das Arzt-Patientenverhältnis sagen würde, ist:

Durch die Arbeit mit Wissen sind die Patienten heute viel besser selber informiert und haben auch ein größeres Bedürfnis, vom Arzt informiert zu werden. Das ist zunächst anstrengend, vor allem weil Ärzte immer mehr in immer weniger Zeit leisten müssen. Der Normalfall ist, dass der Arzt kompetent ist. Das schließt aber nicht aus, dass der Patient einen Zusammenhang entdeckt, eine Information findet, die dem Arzt entgangen ist. Wer als Arzt aber besser auf den Patienten eingeht und mehr Zeit in die sprechende Medizin investiert, wird andererseits Zeit sparen, weil er Reibungsverluste und Missverständnisse vermeidet. Und je mehr wir in der Arbeit für unsere Nische mehr Verantwortung als bisher übernehmen, so werden wir auch als Patient mehr **Mit-Verantwortung übernehmen, die den Arzt auch entlasten kann**, wenn das Verhältnis gut ist. Je mehr wir in der Wissensgesellschaft lernen, Informationsströme zwischen Menschen produktiv zu gestalten, umso mehr werden wir auch das Arzt-Patienten-Verhältnis hin zu einem guten Zusammenwirken verbessern".

Die Redaktion: Lässt sich die Zukunft von betrieblichen Leben auf Verhaltensunterschiede in anderen Bereichen, auch der gesundheitlichen Systeme, umsetzen?

Händeler (Zitat aus Politik und Parlament): Nötig sind Transparenz statt Kungelei, Authentizität statt Blendung, Kompetenz statt Statusorientierung, Kooperationsfähigkeit statt Machtkämpfe, langfristige Orientierung statt Kurzfristigkeit und eine Verantwortung, die über die eigene Karriere und die eigene Kostenstelle hinausgeht. Wird die Welt vielleicht doch immer besser?

Erik Händeler ist unter anderem Autor des Buches „Eine neue Arbeitskultur", die Geschichte der Zukunft – Sozialverhalten heute und der Wohlstand von morgen, 9. Auflage 2013, Brendow-Verlag, 478 Seiten, 19,95 Euro. www.neuearbeitskultur.de; www.erik-haendeler.de

Die Fragen und Antworten entsprechen keinem Interview, sondern wurden mit Einverständnis von Erik Händeler nachträglich unter Hinzunahme der Zitate zusammengestellt. UFi

Kritisierte Ärzte

behandeln defensiver und vermeiden schwierige Patienten

Dieses vom Deutschen Ärzteblatt publizierte Ergebnis stammt nicht aus Deutschland, sondern aus Großbritannien. Gleichwohl scheint es nicht unrepräsentativ für die deutsche Ärzteschaft zu sein; denn sie wird wohl nicht weniger gefühlsmäßig am Arzt-Patienten-Verhältnis beteiligt sein.

Von 90.000 befragten Ärztinnen und Ärzten antworteten 8.000 überhaupt auf diese Umfrage, davon knapp die Hälfte, dass sie jemals oder im vergangenen Jahr mit Beschwerden und Klagen von Patienten zu tun gehabt hätten. 17 Prozent dieser Ärzte klagten über moderate bis schwere Depression auf Grund dieser Vorfälle. Am stärksten betroffen waren Ärzte, die sich vor dem General Medical Council (GMC), eine Art Schiedskammer, zu verantworten hatten. Diese Institution kann Rügen, aber auch ein Berufsverbot erteilen. Die Wissenschaftlergruppe um Tom Bourne vom Imperial College London ermittelten bei dieser Gruppe eine **Depressionsrate** von 26 Prozent, Symptome von **Angst** in 22 Prozent und **suizidale Gedanken** in 15 Prozent der Befragten.

Auffallend war ein weiteres Problem, das sich durch die Beschwerden je ner Ärzte ergab. Sie zeigten eine Tendenz zu einer **defensiven Behandlungspraxis**. 80 Prozent der Ärzte, die Erfahrungen mit Klagen oder Beschwerden hatten, vermieden riskante Behandlungen und schwierige Patienten oder ordneten mehr, teilweise überflüssige Untersuchungen an. Durch diese defensive Behandlungspraxis entstehen zusätzliche Kosten, obwohl sich die Versorgungsqualität verschlechtert.

Checkliste "Gute Arztpraxis"

- Nimmt der Arzt mich und mein spezielles gesundheitliches Problem ernst?
- Erhalte ich eine umfassende und verständliche Aufklärung?
- Erhalte ich von meinem Arzt weiterführendes Informationsmaterial und Informationen über Hilfsangebote?
- Kann ich gemeinsam mit meinem Arzt über die Art meiner Behandlung entscheiden; unterstützt mein Arzt mich darin, eine Entscheidung zur Behandlung treffen zu können?
- Werde ich von Arzt und Praxispersonal freundlich und respektvoll behandelt?
- Wird in der Praxis meine Intimsphäre gewahrt?
- Erhalte ich ohne Probleme Zugang zu meinen Patientenunterlagen?
- Akzeptiert mein Arzt, dass ich im Zweifelsfall eine zweite Meinung einholen möchte?
- Wird in der Praxis der Schutz meiner persönlichen Daten gewahrt?
- Bietet mein Arzt eine Praxisorganisation, die mir den Arztbesuch erleichtert?
- Sind Qualitätsmaßnahmen in der Praxis meines Arztes für mich als Patient erkennbar?

Quelle: Ärztliches Zentrum für Qualität in der Medizin (äzq)

Viel Vertrauen in die Wissenschaft

„Bankkunden werden besser beraten als Patienten", zu diesem Ergebnis kam Redakteur Jan Schweitzer von der Wochenzeitung Die Zeit nach einem Interview mit der Hamburger Medizinprofessorin Ingrid Mühlhauser. Der Arzt sehe sich als eine Art Zauberkünstler, weil von ihm erwartet werde, dass er unbedingt etwas tun müsse, wenn ein Patient mit Beschwerden zu ihm komme. Der Patient erwarte eine Art Ritual: Abhören oder Hand auflegen oder ein Rezept ausschreiben. Wenn sich die Situation des Patienten dann besse-

re, was sowieso geschehen wäre, hielte er den Besuch beim Arzt für die Ursache, dass seine Beschwerden vergangen seien. Mühlhausen schätzt, dass über neunzig Prozent aller Beschwerden sowieso von alleine weggingen.

Der Reporter fragte nach: Ob Ärzte denn wüssten, dass die Besserung nicht ausschließlich ihrem Können zu verdanken sei. Das verneinte Mühlhausen: **Vielen Ärzten fehle ein Verständnis für Kausalitäten.** Hinter vielen ärztlichen Tätigkeiten stehe ein

rein finanzielles Interesse. **„Manchmal ordnen sie sogar Maßnahmen an, obwohl sie wissen, dass diese mehr schaden als nützen."** Nachfrage der Zeit, ob nicht auch die Wissenschaftler verantwortlich seien, wenn falsche Dinge behauptet würden und auch ein Wissenschaftler könne nicht einfach alles behaupten, es müsse zumindest plausibel klingen. Mühlhauser: **„Es ist überhaupt kein Problem, etwas plausibel klingen zu lassen. Sie können für fast jede Behauptung eine gut klingende Erklärung finden."**

Was ist eigentlich eine Nosokomialinfektion?

Tolles Wort für eine unglaubliche Sache. Das ist eine Infektion mit Mikroorganismen, die man sich im Zusammenhang mit einem Krankenhausaufenthalt eingefangen hat. Eine große Gefahr, sich mit einem Krankenhauserreger zu infizieren, besteht vor allem für immungeschwächte Patienten. Für ärztliches und pflegerisches Personal sowie für gesunde Besucher stellen die Krankenhauskeime gewöhnlich kein Risiko dar. Trotzdem: So viel als Antwort auf die vielen Anrufer in der Hotline, die nach einem Krankenhaus für ihre Borreliose suchen, weil sie meinen, dort besser als in einer Arztpraxis aufgehoben zu sein.

Foto: DAK

Arzthaftung am Beispiel Leitlinien

Leitlinien sind rechtlich unverbindlich. Sie sind systematisch entwickelte, wissenschaftlich begründete und praxisbezogene Orientierungshilfen für die angemessene ärztliche Vorgehensweise bei speziellen gesundheitlichen Problemen. Sie stellen, gleichgültig auf welcher Entwicklungsstufe sie sind, nur allgemeine Hand-

lungsempfehlungen dar. Die Nichtbefolgung von Leitlinien rechtfertigt per se nicht die Feststellung eines Behandlungsfehlers. Genauso wenig schließt das Befolgen von Leitlinien automatisch einen Behandlungsfehler aus. Leitlinien können kein Sachverständigengutachten ersetzen und nicht unbesehen als Maßstab für den

Standard übernommen werden.

Quelle: Niedersächsisches Ärzteblatt 1/2011, Johannes Neu, Rechtsanwalt/ Geschäftsführer der Schlichtungsstelle für Arzthaftpflichtfragen der norddeutschen Ärztekammer.

Deutschland fehlen Infektiologen

Nach Infektiologen ruft der BFBD seit Jahrzehnten. Es gibt kaum niedergelassene Infektiologen in Deutschland und auch zu wenig in den Krankenhäusern, das prangert nun auch die Deutsche Gesellschaft für Infektiologie (DGI) an. Doch ob dieser späte Ruf an die Politik Wirkung zeigt? Vor vielen Jahren stand an der Spitze der DGI **Professor Rudolf Ackermann**, Gründungsmitglied der DGI und vielen Borreliosepatienten gerade in den 80er Jahren ein stets hilfreicher Ratgeber, wenn es um ungeklärte Borreliose-Diagnose ging. Heute gibt es zumindest einen nach ihm benannten Preis. Doch auf der Homepage der DGI wimmelt es von Ebola, Aids, Influenza.

„Wir sehen die Sorgen der Menschen, nehmen sie ernst und begrüßen, dass der Gesetzgeber infektiologische Themen in den Fokus rückt", sagte DGI-Vorsitzender Gerd Fätkenheuer gegenüber dem Deutschen Ärzteblatt. Der Leiter der Infektiologie an der Klinik I für Innere Medizin an der Uniklinik Köln hält nichts von Reihenuntersuchungen, solange es keine gut ausgebildeten Infektiologen gebe. Mmh, **Uni Köln**? Da war doch `was? Noch vor vier Jahren sagte jemand von der Uni Köln einer niedergelassenen Internistin: „Aber Frau Kollegin, **Sie wissen doch, dass es keine Borreliose gibt!**" Die Dame gab kurz danach ihre Kassenzulassung zurück.

Alleine 1000 Infektiologen würden im Krankenhausbereich fehlen, so Fätkenheuer. Aktuelle Studien würden zeigen, dass die Überlebenschancen von Infektionspatienten steigen würden, wenn sich ein Spezialist für Infektionskrankheiten an der Behandlung beteiligen würde.

Wir machten eine Stichprobe und suchten bei den Landesärztekammern nach Infektiologen in Deutschland: Gleich zuerst **Hessen**: Ein Infektiologe; leider nur sein Nachruf. Verstorben. **Bremen**: kein Ergebnis. **Thüringen**: Eine Infektiologin. **Baden-Württemberg**: Null. **Niedersachsen**: kein Treffer. **Hamburg**: 19 Infektiologen; ausgerechnet da, wo die Not an behandelnden Ärzten für Borreliose so groß ist?

Borreliose Wissen schrieb es schon oft: Erst 2003 wurde seitens der Bundesärztekammer die Infektiologie in die Muster-Weiterbildungsordnung aufgenommen und zwar als Zusatzbezeichnung für Internisten und Kinderärzte nach einjähriger Weiterbildung. UFi

---

Medien

Leserverdummung auch bei der Süddeutschen?

Von Ute Fischer

Korrupte Politiker können strafrechtlich verfolgt werden, korrupte Medien nicht. Wir wundern uns schon lange nicht mehr, warum Apotheker-Kundenzeitschriften nicht unsere Pressemitteilungen und Manuskripte abdrucken oder zumindest als Basis für eigene Recherche einsetzen. Außer ein paar Zeckenzangen oder Schmerzmittel gibt es bei Borreliose nichts zu verkaufen. Letzteres gibt es zudem auf Rezept und bringt den Herstellern nicht viel Gewinn. Viel besser läuft das mit Depression, Rheuma, Grippe, Pickel, Übergewicht und Gesichtsfalten. Die bunten Hefte sind voll mit solchen Ratgeber-Geschichten und den dazu passenden Anzeigen. Und das, obwohl die Redaktion angeblich völlig getrennt von der Anzeigenabteilung operiert. Darauf ein dreifacher kurzer Lacher.

Im Februar packte wieder ein Journalist aus. Sebastian Heiser erhebt schwere Vorwürfe gegen seinen früheren Arbeitgeber, die **Süddeutsche Zeitung**. Er war 2007 Redakteur im Ressort Sonderthemen, wo in der Regel auch Gesundheit abgehandelt wird. Wir erinnern uns, wie fleißig, hartnäckig und trotzdem erfolglos wir den leitenden Gesundheitsredakteur Bartens über Monate angebaggert haben. Ja, er war immer freundlich und verständnisvoll, **hatte aber trotzdem nie Zeit, sich mit Borreliose zu befassen** oder gar über die Misere der Patienten und die Verleugnung vieler Ärzte zu berichten.

Heiser berichtet: Die Themen seien danach festgelegt worden, wo der größere Anzeigenkuchen angeboten wurde. Zudem sei von den Redakteuren gegenüber den Anzeigenkunden eine „Freundliche Grundhaltung" verlangt worden. Es sei darin bei einem Finanzdienstleister sogar um die Anleitung zur Steuerhinterziehung gegangen, schreibt Heiser in seinem Blog.

Quelle:www.media.de/2015/02/16/s z-leaks-ex-mitarbeiter-der-sueddeutschen

Mag sein, dass Heiser sich ermutig fühlte durch Udo Ulfkottes Buch „Gekaufte Journalisten", siehe ausführlicher Bericht im Borreliose Jahrbuch 2015. Untertitel: Wie Politiker, Geheimdienste und Hochfinanz Deutschlands Massenmedien lenken. Ein paar Jahre glaubten wir, dass Volontäre in Sachen Borreliose immer nur den alten, verharmlosenden Kram von den Archiven abschreiben würden. Erstaunlich, dass die Erklärung, dass es einen Topf gebe für alle, die verharmlosend über Borreliose schreiben oder referieren (auch Ärzte) aus dem Film „Der Zeckenkrieg" nicht herausgeschnitten wurde. Vermutlich klang es so unglaublich, dass man es den Fernsehzu-

schauern als Joke präsentieren wollte und als Beleg, dass wir Borreliosepatienten wohl einen an der Waffel haben und unter Verfolgungswahn leiden.

Nach der Lektüre des Ulfkotte-Buchs (ISBN 978-3-8644-5143-0, Kopp-Verlag), das aus dem Alltag der Frankfurter Allgemeinen Zeitung berichtet, werden viele klarer sehen, die verzweifelt nach mehr Öffentlichkeit rufen. **Auch Ulfkotte sollte ursprünglich der Mund gestopft werden.** Mehr als 1000 Exemplare hatten Redaktionen kostenlos angefordert, um angeblich eine Rezension schreiben zu wollen und es doch nicht taten. Angeheizt von Einzelnen, trat das Buch dann doch seinen Erfolgsweg über Facebook und Twitter an und schaffte es bis Platz 3 der Spiegel-Bestsellerliste. **Schön, dass sich die Wahrheit fast immer einen Weg bahnt, um an die Öffentlichkeit zu gelangen.**

Borreliose und das Herz

Das Thema war schon lange geplant für BORRELIOSE WISSEN . Unendlich schwierig war die Suche nach kompetenten Autoren. Und dann wurden es doch 68 spannende Seiten mit zusätzlichen Berichten über Neuroborreliose als unterschätzte Ursache für Schlaganfall, über unklares Fieber, über nicht heilende Beinschmerzen, über die Fehldiagnose Leukämie, über politische Willkür in den Bundesländern, über Borreliose, die noch acht Jahre nach dem Stich hochkochen kann. Das wenigstens die BFBD-Mitglieder ihr Heft erhielten, ist einem Missverständnis zu

verdanken. Der stellvertretende BFBD-Vorsitzende Jörg Rehmann blockierte den Abverkauf mit allen ihm zur Verfügung stehenden Mitteln. Vorgeschobener Grund: ein Artikel über die vom Gericht abgewiesene Klage einer Bewerberin, die behauptete, sie sei wegen ihres Übergewichts nicht beim BFBD angestellt worden. Siehe auch Seite 48. Das Herz-Heft existiert und kann bestellt werden. Der neue Vorstand des BFBD wird einen Weg finden, um es allen zugänglich zu machen, die darauf schon lange warten.

Judaslohn

Wie hoch ist der Preis, um seine Freunde zu täuschen, seine Gefährten zu verraten? Wie skrupellos wird der Mensch, dem die Schulden bis an die Unterlippe reichen? 30 Silberlinge erhielt Judas, damals der Gegenwert eines Esels, heute ein Kleinwagen. Details mögen sich ändern. Die Grundmuster solcher Abgründe bleiben. Der BFBD hat den größten Angriff seit seinem Bestehen ausgehalten. Wachsam bleiben.

Euer Borrelius

Borrelius Spekuliert

Mal richtig die Meinung sagen, sich das Maul verbrennen, das darf Borrelius, der unverantwortliche Rächer der Verratenen, die einzige Zecke auf unserer Seite.

Hilfe zur Selbsthilfe

Seit Mai 2007 existiert, neben zahlreichen regionalen Borreliose-Beratungen, ein Borreliose-Beratungsnetz über die einheitliche Telefonnummer 01805-006935. An diesen Gebühren verdient der BFBD nichts. Die Einrichtung dieser virtuellen Servicenummer, die kostenlos von Berater zu Berater weitergeschaltet werden kann, erspart dem BFBD horrende Weiterleitungsgebühren, die für Sinnvolleres eingesetzt werden können.

Am Telefon sind mit Borreliose selbst erfahrene, ehrenamtlich tätige private Gesprächspartner. An stark frequentierten Tagen benötigen Anrufer Geduld. Deshalb fassen Sie sich bitte kurz und stellen Sie präzise Fragen. Bitte bedenken Sie: Selbsthilfeberatung ersetzt keinen Arztbesuch.

Hotline: 0180 – 500 69 35

(€ 0,24/Min. aus dem deutschen Festnetz, max. € 0,42/Min. aus dem Mobilnetz)

BORRELIOSE
UND FSME BUND
DEUTSCHLAND
PATIENTENORGANISATION BUNDESVERBAND

Montag 10.00 bis 12.30 Uhr	Mittwoch 10.00 bis 12.30 Uhr	Freitagabend 18.00 bis 20.00 Uhr
 **Brigitte Binnewies** Leiterin der Borreliose Patienten-Initiative Heidenheim	 **Eleonore Bensing** Leiterin SHG Bremen	 **Jochen Werner** Borreliose Patienteninitiative Heidenheim
Montagabend 18.00 bis 20.00 Uhr	**Donnerstag** 10.00 bis 12.30 Uhr	**Freitagabend** 18.00 bis 20.00 Uhr
 **Simone Bauer** Leiterin SHG Tübingen	 **Günther Binnewies** Beirat Patientenrechte, Buchautor	 **Ute Fischer** Buchautorin, Wissenschaftsjournalistin
Dienstag 10.00 bis 12.30 Uhr  **Klaus Gesell** Borreliose-Beratung Augsburg	**Bitte beachten Sie:** **Beratungszeiten können sich ändern. Manchmal tauschen die Berater untereinander. An gesetzlichen Feiertagen ruht die Beratung.**	

Rat + Hilfe

Unser Jahre langes Ratgeber-System ist derzeit gestört.

Die Homepage www.borreliose-bund.de befindet sich in unautorisierter Hand.

Einige Inhalte, Adressen und das Impressum entsprechen nicht der Realität. Sie wird so schnell wie möglich und völlig neu installiert.

Mitglieder-Beratung

Ratsuchende Mitglieder des Borreliose und FSME Bundes Deutschland e.V. konnten bis vor einigen Monaten bei der Geschäftsführung um einen Rückruf bitten. So hat das viele Jahre funktioniert. Und das wird auch wieder so sein, spätestens ab Mitte April 2015. Solange wenden Sie sich bitte wie Jedermann und Jedefrau an die jeweiligen Hotline-Berater und bitten Sie um einen Rückruf für Mitglieder.

Ticket-System

Ob das „Online-Beratungs-Ticket-System" erhalten oder neu installiert wird, entscheidet am 28. März 2015 die Mitgliederversammlung.

Forum

Fragen, Dialoge und Antworten sind möglich im Forum

Der neue Vorstand

Anlässlich der Mitgliederversammlung am 28. März 2015 in Boppard wurde der neue Vorstand nach schriftlicher Kandidatur und persönlicher Vorstellung für drei Jahre gewählt. Die ehemaligen Vorstandsmitglieder Jörg Rehmann und Karin Friz waren nicht erschienen. Die Kooptationen von Frau Julia Gray wurden von der Mitgliederversammlung nicht bestätigt.

Ute Fischer *

Vorsitzende
Gesundheitspolitik
Presse
Reinheim
Tel. 06162-911986

Werner Vogt *

Stellvertrender Vorsitzender
Mitgliederentwicklung
Rottenburg a.N.

Dirk Oppenkowski *

Schatzmeister
Friedrichsdorf/Taunus

Albert Bensing

Vorstands-Mitglied seit 2005, Bremen

Karin Brenner

Möglichkeiten der Selbstheilungskräfte
Augsburg

Bea Denker

Ombudsfrau für ältere Borreliosepatienten
Hamburg

* vertretungsberechtigt

Geschäftsführung

Jutta Hecker
Geschäftsführerin, Rechtsanwältin,
Schaltstelle zwischen Vorstand, Mitgliedern,
Förderern und Außendarstellung
BFBD Geschäftsführung
Postfach 1205, 64834 Münster in Hessen
Tel. 06071-497 397 Fax 06071-497 398

Servicestelle

Claudia Siegmund
ab 01.05.2015 wieder Servicestelle für
Mitglieder, Selbsthilfegruppen, KITAs,
Sportvereine, Schulen, Referenten, Versand
der Magazine und Info-Materialien
Schillerstraße 31, 64823 Groß-Umstadt
Tel. 06078-9175094 Fax 06078-9175096

Neue Medien

Die bisher für die Vereinsführung, Geschäftsführung und Servicestelle relevanten E-Mail-Adressen sowie die Homepage des Vereins werden vom ehemaligen Stellvertretenden Vorsitzenden Jörg Rehmann blockiert und zu sich und Frau Gray umgeleitet; sie sind daher momentan nicht benützbar. Auch die Accounts bei Facebook und Twitter sind derzeit in unautorisierter Hand. Es müssen eine neue Homepage aufgebaut und ein neues E-Mail-System entwickelt werden. Daher bitten wir alle, die Kontakt mit dem Vorstand und seinen Dienststellen aufnehmen wollen, ausschließlich das Telefon zu benützen. In den Neuen Medien existiert bei Facebook ein Account „Borreliose Ersatz-Homepage".

Aus dem Protokoll der Mitgliederversammlung

Versammlungsleiter: Reinhard Rink, Protokollführer: Jochen Werner, Wahlleiter: Herbert Pohl
Alle in der Einladung angekündigten Anträge auf Satzungsänderung und –ergänzung wurden positiv beschlossen, unter anderem auch die Einführung der Briefwahl ab 2016.

Brigitte und Günther Binnewies erhielten auf Beschluss der Mitglieder die ersten Ehrenmitgliedschaften verliehen. Sie widmen sich seit über 20 Jahren der Hilfe und Beratung von Borreliosepatienten. Günther Binnewies war mehr als zehn Jahre als Vorstandsmitglied tätig, von 2006 bis 2009 als Vorsitzender. Brigitte Binnewies war in all den Jahren aktiv in der Selbsthilfe Königsbronn. Beide wurden 2014 vom Ministerpräsidenten des Landes Baden-Württemberg mit der Ehrennadel ausgezeichnet, die höchste Auszeichnung für ehrenamtliches Engagement.

Berater Kontakter Selbsthilfegruppen

Selbsthilfegruppen (SHG), **-vereine** (SHV) und **Berater** (Kontakter) sind ehrenamtliche Initiativen von Mitgliedern des Borreliose und FSME Bundes und assoziierten Beratern. **Sie bringen ihr Wissen und ihre Erfahrung in bester Absicht und nach bestem Wissen ein, ersetzen aber keinen Arztbesucht und sind als selbstbetroffene Borreliosepatienten, Privatpersonen und Berufstätige nicht rund um die Uhr erreichbar.** Siehe auch die Hotline Seite 45

Postleitzahl 1

BERLIN
Tel: 030-55101235 (AB)
Kristina Weschke
E-Mail:
zeckeninfo@gmx.de

POTSDAM
Tel. 0331 24370571
Mobil: 0176-70460705
Konrad Winkler
E-Mail:
info@borreliose-shg-potsdam.de

Postleitzahl 2

AUKRUG
Tel.: 04873 843
Borreliose Beratung
Beratung werktags
12.00 bis 13.00 Uhr

BREMEN
Tel. + Fax : 0421-385658
Borreliose SHG
Bremen und umzu
Eleonore Bensing
E-Mail: e-a.bensing@t-online.de

CELLE
Tel.: 05149 186168
Borrellia-SHG im
Landkreis Celle
Ingrid Sallubier
E-Mail:
ingrid.sallubier@web.de
www.borrellia.de

HAMBURG
Borreliose SHG
Hamburg
Kontakt über
Servicestelle BFBD
Tel. 06078-9175094

LÜNEBURG
Tel: 05852 958493
Mo. u. Die. 19.00 bis
21.00 Uhr
Annemarie Best

OLDENBURG/OST-FRIESLAND
keine tel. Beratung

Kontakt über BEKOS
Tel.: 0441 884848

SCHLESWIG über KIBIS
Tel.: 04335 921048
Kathrin Grimm

Postleitzahl 3

BAD AROLSEN
Tel.: 05691 2164
SHG Bad Arolsen
Irene Voget-Schmiz

BAD MÜNDER /HAMELN
Tel.: 0177 7454896
oder 05042 81377
Borreliose SHG Bad
Münder/Hameln
Michael Eisenberg
siehe auch Hannover

DILLENBURG
Tel.: 02771 6186
BSHG Mittelhessen
Irmtraud Hartmann

HANNOVER
Tel.: 0177 7454896
Borreliose SHG
Hannover
Michael Eisenberg
E-Mail: MichaelEisenberg@borreliose-shg-hannover.de
Web: www.borreliose-shg-hannover.de

KORBACH
Tel.: 05691 2164
SHG Korbach
Irene Voget-Schmiz

OST-WESTFALEN-LIPPE
Tel. 05202 5921
Fax 05202 993487
Borreliose Beratung
Gisela Becker

SCHÖFFENGRUND
Tel.: 06085 9879877
Fax: 06085 989933
Borreliose SHG
Mittelhessen
Tanja Ressel
E-Mail:
shgmittelhessen@aol.com

WOLFENBÜTTEL
Tel.: 0179 3651797
Borreliose SHG Wolfenbüttel
Kontakttelefon

Postleitzahl 4

ESSEN
Borreliose SHG
Tel. 0208 88378570
(Mo.-Mi.)
Frauke Würschem
Tel.: 0201 492738
(Do.-Sa.)Nora Morawitz

OSNABRÜCK
Tel.: 0541 501-8017
SHG Borreliose-Osnabrück,
Heidi Röber,
Brigitte Schwier
E-Mail: borreliose-shg-os@t-online.de
www.Borreliose-shg-os.de

RHEINE
Borreliose SHG Rheine
Thomas Grothues
keine tel. Beratung
E-Mail: borrelioserheine@googlemail.com

Postleitzahl 5

AACHEN
Tel.: 0241 82229
SHG Städteregion Aachen, I. Richter
E-Mail: ilse-a-richter@t-online.de

BONN / RHEIN-SIEG
Tel.: 02205 9010678
Fax: 02205 9010688
Borreliose SHG
Bonn/Rhein-Sieg
Dr.rer.pol. Margot Eul
E-Mail:
margot.eul@freenet.de

DÜREN
Tel.: 02421 941420
Cornelia Kenke

TRIER
Die SHG Trier ist geschlossen. Die Nachfolge wird von der neuen SHG Trier-Saar, PLZ 6 übernommen.

Postleitzahl 6

DARMSTADT
Tel. 0177-3563337
Borreliose SHG
Klaus Acker
E-Mail: klaus.acker@gmx.de

DARMSTADT-DIEBURG
Borreliose SHG
Cornelia Semmel
64846 Groß-Zimmern
E-Mail:
conny.semmel@gmx.de

EDESHEIM
SHG Borreliose
Edesheim
Tel.: 06341 31225
Dr. Hilmar Rohde
E-Mail: h.h.rohde@web.de

GELNHAUSEN
Tel.: 06051 474844
(bitte auf AB sprechen)
Borreliose Beratung
Eva Deuse-Wodicka
Beratung nach Vereinb.

HEIDELBERG
Kontakt über Borreliose
und FSME Bund
Tel. 06078-9175094

RHEIN/NECKAR
Beratungsschwerpunkt:
Borreliose bei Kinder
Tel.: 06202 271558
Paul Szasz
E-Mail: Szasz@arcor.de

SHG TRIER- SAAR
Tel. 06871-54 31
Claudia Blees
Email: claudiablees@live.de

Postleitzahl 7

FREIBURG
Borreliose SHG
Freiburg
Tel. 07666 949141
Herr Helfert

KARLSRUHE
Tel. 0162 895 1327
Borreliose-Forum
Karl Crocoll

RASTATT/BADEN-BADEN/MURGTAL
Tel.07225-985 722
Jürgen Sauer

SINGEN/ RADOLFZELL/KONSTANZ
Tel.: 07731 - 921333
Fax.: 07731 - 921334
Wolfgang Fendrich
Email: famfendrich@web.de

ORTENAU
Borreliose SHG Ortenau
Kontakt: Martin Rösch
E-Mail: Borreliose-SHG-Ortenau@t-online.de

REMS-MURR/WIN-NENDEN/STUTTGART
Tel. 07195/8716
Borreliose Beratung+SHG
Ingeborg Schmierer
E-Mail: Borreliose-RemsMurr@ingeborg-schmierer.de
Web:
www.ingeborgschmierer.de

REUTLINGEN
Kontaktstelle
Tel.: 07121 897989
Samstag v.17.00-18.00 Uhr

ROTTWEIL-SCHWARZ-WALD-BAAR
Selbsthilfegruppe für
Zeckenkranke
Tel.: 07403 91054
Christine Muscheler-Frohne
Tel.: 07402 9109533
Alexander E.
Web: www.shg-zecken-rw.de

Postleitzahl 8

AUGSBURG
Tel.: 0821 9075665
Beratungszeit:
werktags 9.00–12.00 Uhr
Borreliose Beratung
Klaus Gesell

FÜSSEN
Die SHG hat sich
aufgelöst. Beratung
weiterhin unter
Tel.: 08862 774538
Annette Göbel

HALLERTAU
Tel.: 08442 917950
Hallertauer Borreliose-SHG
Christine Brüstl
E-Mail: hallertauer-borreliose-selbsthilfegruppe@gmx.de
Web: www.hallertauer-borreliose-selbsthilfegruppe.de

HEIDENHEIM
Tel.: 07328 919000
Fax: 07328 4956
Borreliose Patienten-Initiative.e.V.
1. Vors. Günther Binnewies

KEMPTEN
Tel.: 0831 9606091
Borreliose SHG Allgäu
E-Mail: borreliose-shg-allgaeu@t-online.de

LINDAU
Tel.: 08382 23490
Dr. phil. Marion
Rothärmel

TÜBINGEN
Tel.: 07071 946889
Borreliose SHG
Tübingen
Daniel Strayle und
Simone Bauer
E-Mail:
borrelioseSHG_tuebingen@web.de
Web: www.borreliose-tuebingen.de

MÜNCHEN
Tel.: 089 51519957
Borrelioseinformations-
und Selbsthilfeverein
München e.V.
Web: www.borreliose-
muenchen.de

RAUBLING
Borreliose SHG
Kontakt über Borreliose
und FSME Bund
06078-9175094

Postleitzahl **9**

AMBERG
Tel.: 0172-8454080
Beratung
E.Mail:
manfred.wenzl@gmx.de

ANSBACH
Tel.: 0911 338213
BSHG Franken
Rosemarie Lange

COBURG
Tel.: 09561 25225
Fax: 09561 232792
Borreliose SHV Coburg
Stadt und Land
Sigrid Frosch

EBERN
Tel.: 09533 8746
Borreliose SHG Ebern
Horst Häfner
E-Mail: haefh@aol.com

HILDBURGHAUSEN
Tel.: 036873-20818 u.
0170-7152036
Borreliosegruppe
Landkreis
Hildburghausen
Dietmar Krell

NÜRNBERG
Tel.: 0911 8002554
BSHG Franken
Michaela Deininger

REGENSBURG
siehe Amberg

STRAUBING
Borreliose SHG
Straubing
Tel: 09421 - 9297740
Sonja Würkner
E-Mail:
s.wuerkner@gmx.de

WEIDEN
Tel.: 09605 3044
Borreliose SHG
Maria Kellermann

Postleitzahl **0**

AUE-SCHWARZENBERG
Tel.: 03774 823678
Borreliose SHG Aue-
Schwarzenberg
Gudrun Solbrig
E-Mail: g.solbrig@web.de

CHEMNITZ
Tel.: 0371 5212454
Margit Benedikt
Tel.: 0371 7250414
Christa Müller
Borreliose SHG

DRESDEN
Tel.: 0351 2061985
Kontaktstelle für
Selbsthilfegruppen.
Es erfolgt
Weitervermittlung zur
Borreliose SHG
Dresden
E-Mail: helithi@aol.com

LEIPZIG
Tel.: 0341 3382155
Borreliose SHG
Gert Schlegel
E-Mail: borreliose-
leipzig@gmx.de

RUDOLSTADT
Tel.: 0157 73024064
Borreliose SHG
Rudolstadt
Renate Unger-
Hartmann
E-Mail: borreliose-shg-
rudolstadt@email.de

**NETZWERK SELBST-
HILFE SACHSEN**
Borreliose, FSME und
bakterielle Erkrankun-
gen e. V.
Tel.: 03724 85 53 55
Dipl.-Ing. Jürgen
Haubold
E-Mail: borreliose-coin-
fektion@gmx.de
www.borreliose-sach-
sen.net

ZITTAU
Tel.: 03583 704108
VdK-Selbsthilfegruppe
Borreliose
Gudrun Strehle

Weitere, nicht zum Beratungsnetz des Borreliose und FSME Bundes gehörende Beratungs- und Kontaktstellen

ALTHÜTTE
Kontakt: Annemarie
Christoph
Tel.: 07183 41201
E-Mail:
annemarie.c(at)web.de

ERFURT
Tel.:0361 21674793
Michelle Otto
Borreliose SHG Erfurt
E-Mail:borreliose-
erfurt@gmx.de
www.borreliose-
erfurt.de

GÖTTINGEN
Tel.: 0551 62419
Borreliose SHG Kassel
Stadt und Land e.V.
Gruppe Göttingen
Marlies Pfütze

HALLE / WESTFALEN
Borreliose SHG
Halle/Westf.
Kontakt über die
BFBD-Servicestelle
unter Tel. 06078-
9175094

HOCHSAUERLAND
Tel.: 02971 86050
Borreliose SHG Kassel
Stadt und Land e.V.
Gruppe
Hochsauerland
Monika Schulte

JENA
Borreliose SHG Jena
Tel.: 03641 393193
Sabine Klaus
Tel.: 03641 371308
Helene M. Gärtner

KUSEL
Tel.: 06383 927506
SHG Kusel
Petra Bonin
E-Mail: bonin.pe-
tra@gmx.de

MÜNSTER
Tel.: 02501 - 9640510
Borreliose SHG
Münster
Gabi Neuhaus
E-Mail: g.m.neu-
haus@web.de

PADERBORN
www.borreliose-
paderborn.de

**SÄCHSISCHE
SCHWEIZ -
OSTERZGEBIRGE**
Tel.: 035056 32343
Borreliose SHG
Astrid Zimmermann
E-Mail: asti-z@web.de

SCHÖNEBECK
Tel. 03928 843790
Borreliose SHG
Schönebeck
Frank-Michael Galuhn
E-Mail: frami-
galuhn@t-online.de

WARBURG
Tel.: 05641 1012
Borreliose SHG Kassel
Stadt und Land e.V.
Gruppe Warburg
Edeltraud Andree

WOLFSBURG
Tel.: 05361 775535
Renate Kiesel-Arndt
E-Mail: kiesel-
arndt@gmx.de
Tel.: 05371 15660
Martin Rosenkranz
E-Mail: mam.rosen-
kranz@gmx.de

**Weitere Borreliose-
Beratungen:** Bad
Sobernheim, Bad
Wildbad, Bautzen,
Bensheim, Bonn,
Eschwege,
Frickenhausen,
Haldesleben,
Holzgerlingen, Horka,
Jagsttal, Kassel,
Königslutter,
Satteldorf, Seesen,
Zwickau.

Auch Berufungsklage abgewiesen

In BW30 (Seite 63) berichteten wir über eine, angeblich wegen ihrer Leibesfülle abgelehnte, Bewerberin, die beim BFBD gerne Geschäftsführerin hätte werden wollen. Sie wurde es jedoch deshalb nicht, weil sie zum zweiten Bewerbungstermin nicht angetreten war. Sie begehrte 30.000 Euro Schadenersatz. Ihr Anwalt hatte dazu eine spektakuläre Medienkampagne angezettelt, die nicht ohne Spuren für den BFBD ablief. Es erfolgten Kündigungen, Schmähbriefe und Vorverurteilungen. Dies fand nun ein Ende ohne Kosten für den BFBD. Nachdem schon die erste Instanz die Klage mit einer 19-seitigen Begründung abgewiesen hatte, folgte das Landesarbeitsgericht Frankfurt am 6. März dem ersten Urteil mit erneuter Abweisung der Berufungsklage und Nichtzulassung der Revision.

Fühlen aus dem Bauch heraus

Gerne hätten wir mit diesem Autor über Antibiose und Darm diskutieren, er starb jedoch, noch bevor ein Kontakt zustande kam. Wie kein anderer der in dieser Ausgabe genannten Autoren nimmt er den medizinisch unbehauchten Leser an die Hand und erklärt ihm bild- und symbolhaft die Zusammenhänge von Ernährung und Psyche, von Träumen, die ein Signal aus dem Bauchhirn senden und auch wie sich Lebensangst im Dickdarm versteckt.

Der Darm-IQ
Wie das Bauchhirn unser körperliches und seelisches Wohlbefinden steuert
Joachim Bernd Vollmer
Verlag Integral, 238 Seiten, 17,99 €
ISBN 978-3-7787-9251-3

Borreliose, Fibromyalgie und Co

Alle Hauptformen von Gelenkerkrankungen, so der Autor, hätten nur eine Ursache: Infektionen, die zu den Gelenken wandern und Entzündungen (Arthrose, Arthritis) auslösen. Borrelien und andere Mikroorganismen seien die Übeltäter und warum Gelenkersatz infektiöse Organismen geradezu einladen, es sich gemütlich zu machen. Die Lösung heißt: Kokosöl als antimikrobielles Mittel und eine Ernährung von geringem Grad von industrieller Verarbeitung. Klingt glaubwürdig.

Gelenkschmerzen
Bruce Fife
Verlag Kopp, 237 Seiten, 16,95 €
ISBN 978-3-8644-5114-0

Das Herz ist mehr als nur ein Organ
Das Buch handelt von einem, der auszog, den Sinn des Lebens zu finden und das mit einem Vertrag als gut verdienender Anwalt in der Tasche. Den ließ er sausen und machte sich stattdessen auf den Weg zu 18 einflussreichen, spirituellen Lehrern, Forschern und Denkern wie die Autoren Paulo Coelho, Michael Bernardo Beckwith, Maya Angelou und Isabel Allende, den Neurowissenschaftler Joe Dispenza, die Primaten- und Verhaltensforscherin Jane Goodall und andere. Gemeinsam schufen sie einen Film und dieses Buch, um das Herz als Zentrum unserer Gefühle, unseres Heilseins und Heilwerdens in Worte zu fassen.

The Power of the Heart
Baptist de Pape
Verlag Knaur Menssana, 279 Seiten, 19,99 €
ISBN 978-3-4266-5757-7

Borreliose und Selbstheilung

In einem haben die Autoren Recht: Borreliose verschwindet meist nicht nur durch das Schlucken von Pillen. Patienten, die gerne mit Naturheilverfahren herumdoktern, finden hier ein Arsenal von therapeutischen Ansätzen, die allerdings teilweise auch mit Vorsicht zu genießen sind. Heilsteine und Essenzen, Ätherische Öle undHeilpflanzen dienen nicht nur bei Borreliose der Schmerzlinderung. Vor dem Arzt versteckt man das Buch aber besser.

Naturheilverfahren bei Borreliose
Werner Kühni, Walter von Holst
AT-Verlag, 166 Seiten, 19,90 €
ISBN 978-3-0380-0413-4

Warum Bakterien unsere Freunde sind

Dies ist das Werk von Wissenschaftsjournalisten mit Biologie-Studium. Ihre Beiträge kennt man aus der Süddeutschen Zeitung und der Frankfurter Allgemeinen, entsprechend wissenschaftlich fundiert und durch Studien untermauert. Keine Unterhaltung, sondern Kost, die volle Konzentration des Lesers fordert. Erfreulich: Nicht wie andere Autoren verteufeln sie Antibiotika grundsätzlich, sondern beschwichtigen, dass sich die so zerstörten Freunde nach einer Attacke auch wieder vermehren.

Der Bund fürs Leben
Hanno Charisius, Richard Friebe
Verlag Hanser, 319 Seiten, 19,90 €
ISBN 978-3-4464-3879-8

Borreliose Jahrbuch

Unerbittlich und respektlos berichtet dieses jährliche Sammelwerk, was die Laienpresse verschweigt: das Kinder sterben, weil sie statt gegen Neuroborreliose mit Chemotherapie gegen Leukämie behandelt werden, dass die meisten Sehnenscheidenentzündungen und Karpaltunnelsyndrome durch Borrelien ausgelöst werden, warum Schulkinder plötzlich nicht mehr funktionieren, wie man inkompetente Gutachter entlarvt, alles über die Herxheimer-Reaktion und das Marshall-Protokoll und wie man Fiebertherapie zuhause selbst probieren kann.

Borreliose Jahrbuch 2015
Ute Fischer, Bernhard Siegmund
Verlag BOD, 136 Seiten, 12,90 €
ISBN 978-3-7357-7753-9

Borreliose Wissen Nr. 19
Chronische Borreliose (8,50 €)
Aus dem Inhalt:

- Schwermetalle
- Co-Infektionen
- Borreliose am Auge
- Orthopädische Abklärung
- Therapie
- Therapeutische Apherese
- Minocyclin + Quensyl

Borreliose Wissen Nr. 22 (7,50 €)
Alternativen, Strohhalme, Experimente
Aus dem Inhalt:

- Focus Floating Microscopy
- Dunkelfeld
- Alternativtherapien
- Angst vor Alzheimer
- Neue Medizin
- Klinghardt-Methode
- Neues von den Borreliose-Ärzten

Borreliose Wissen Nr. 24 (7,50 €)
Schmerz
Aus dem Inhalt:

- Strategien gegen Schmerz
- Das Geheimnis der Heilung
- Neue Therapien
- Borreliose beim Hund
- ILADS-Kongress Augsburg
- Impfstoff
- Zecken-Gel

Borreliose Wissen Nr. 21 (7,50 €)
Borreliose und die Psyche
Aus dem Inhalt

- Schwermetalle
- Labor für Kassenpatienten
- Immun-Blockaden im Kiefer
- Neuropsychologische Aspekte
- Psychiatrische Symptome
- Organ- und Blutspende
- Prävention im Garten

Borreliose Wissen Nr. 23 (7,50 €)
Fehldiagnosen, Differenzialdiagnosen
Aus dem Inhalt:

- Fibromyalgie, Migräne
- Sarkoidose, Uveitis
- Bandscheibenvorfall
- ALS, HWS, Depression
- Multiple Sklerose
- Karpaltunnel, Tinnitus
- Herz, Rheuma

Borreliose Wissen Nr. 25 (7,50 €)
Gender: Unterschiede Mann, Frau
Aus dem Inhalt:

- Zwangs-Antibiotisierung durch Fleischverzehr
- Borreliose bei Mann, Frau
- Stammzellen-Therapie
- Erfahrung: Minocyclin + Quensyl
- Neuer Zeckenerreger
- Zwang zur Lumbalpunktion

Borreliose Wissen Nr. 26 (7,50 €)
Depressionsfalle

Aus dem Inhalt:

* Frauen und
  Psychopharmaka
* Depression oder Borreliose
* Was keine Depression ist
* Soziale Benachteiligung
* Leitlinien als
  Kolateralschaden
* Berufskrankheit
* Bestrafte Vordenker

Borreliose Wissen Nr. 28 (7,50 €)
Schlaf, Schlafstörungen

Aus dem Inhalt:

* Ehrlichiose
* Antikörper-Suche
* Immunkompetenz
* Biologische Medizin
* Borreliose-Impfstoff
* Gutachter finden
* Skandale in HH, NRW,
  Bayern

Borreliose Wissen BASIS (9,50 €)
Alles über Diagnostik und Therapie

Aus dem Inhalt:

* Was ist Borreliose
* Laborverfahren
* Neuroborreliose
* Symptom-Vielfalt
* Co-Infektionen
* Therapieschemata
* Arztsuche, Berufskrankheit

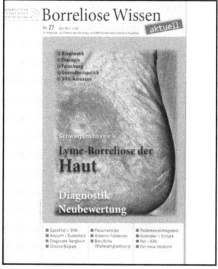

Borreliose Wissen Nr. 27 (7,50 €)
Lyme-Borreliose und die Haut

Aus dem Inhalt:

* Neue Diagnostik
* Borreliose auf der Haut
* Galerie der Wanderröten
* Fleischallergie durch
  Zecken
* Histamin-Intoleranz
* Psyche und Frührente
* Berufliche
  Wiedereingliederung

Borreliose Wissen Nr. 29 (7,50 €)
Neuroborreliose

Aus dem Inhalt:

* Lyme-Neuroborreliose
* Krankheitsbilder, Psyche
* Karpaltunnelsyndrom
* Biologische Medizin
* Chronische Entzündung
* Dr. House für Borreliose
* Trigger für Fibromyalgie

Borreliose Wissen KINDER
Kinder, Schwangerschaft, Stillzeit
Aus dem Inhalt:

* Symptome bei Kindern
* Schwangerschaft
* Stillzeit
* Depression oder Borreliose
* Sexuelle Übertragbarkeit
* Risiko Haustiere
* Schicksale mit Happyend

Gefördert von der Barmer GEK
Kostenlos, gegen
Versandkosten/Spende

Borreliose Wissen Nr. 30

Schwerpunkt „Herz"

68 Seiten, 9,50 €

Aus dem Inhalt:

- Zecken-Schnelltest für den Hausgebrauch
- Hirnultraschall schützt vor Fehldiagnose Parkinson
- Unklares Fieber – auch an Borreliose denken
- Und immer wieder der Verdacht auf „Psyche"
- Möglichkeiten und Grenzen der Neuromodulation bei chronisch refraktären Beinschmerzen bei Borreliose-assoziierter Polyneuropathie
- Therapiestudie Traditionelle Chinesische Medizin
- Großer Schwerpunkt Herzbeteiligung
- Lyme-Karditis
- Katzen – das unterschätzte Problem
- Borreliosefälle 2013 in den Bundesländern
- Borreliose – Hölle noch nach acht Jahren
- Und vieles mehr

Lyme-Karditis

Lyme-Borreliose und Auswirkungen auf das Herz

Von Wilhelm Haverkamp, Laura Wieder und York Kühnle

Hirngefäßentzündung bei Neuroborreliose: eine unterschätzte Schlaganfallursache

Von Tobias Back und Steffi Grünig

Plötzlicher Herztod unter 65

Mehr als 50 Prozent mit Herzbeschwerden

Von Dr. Tom Laser, Facharzt für Orthopädie

Angebliche Leukämie war eine Lyme-Neuroborreliose

Das Chamäleon unter den Infektionskrankheiten hat wieder zugeschlagen

Dr. Nikolaus Klehr

Alle Preise zuzüglich 2,50 € Versandkosten. Lieferung per Post mit Rechnung.

Mitglieder des BFBD erhalten pro Jahr zwei Magazine wie immer druckfrisch und kostenlos zugeschickt.

Borreliose Wissen Nr. 12 bis 18 sowie Nr. 20 sind kostenlos downloadbar bei **www.borreliose-bund.de**. Auf Grund vorrübergehender Störungen kann die Homepage des BFBD nur bedingt nutzbar sein.

Lightning Source UK Ltd.
Milton Keynes UK
UKHW050717160320
360408UK00010B/688